愛なんか

唯川　恵

幻冬舎文庫

愛なんか

Love, so what ?

目次

愛なんか

夜が傷つける

Night hurts me

私は、自分のカラダを愛《いと》しく思っている。

何年か前の、若くて、肌がピンと張っていて、胸もお尻も意識しなくても形がきちんと整っていて、ハイヒールを一日中履いていても疲れなかった頃は、そんなことは少しも感じなかったのに、直射日光を気にしたり、電車であいた座席をつい探したり、気紛れに腹筋運動をしてみたりするようになって、とても愛しく思うようになった。

スタイルが自慢できるわけじゃない。年より若く見えるとか、センスがいいというようなことでもない。二十九歳の私は、ある意味でもう若くはなく、男たちの視線をひきつけるような華やかな美貌もない。ただ、私は自分が人からどう見られるか、そんな自意識から逃れられるようになった。私は私でいることに落ち着くのだ。

たぶん、ようやく心がしっくり納まるカラダになったのだと思う。

若い頃にはいつもちぐはぐで、戸惑ってばかりいた。私を見る男の目を嫌悪したり、そのくせ、小さい胸を無理に寄せて上げて視線を向けさせたり、そんな矛盾が、時々自己嫌悪という形で表れて、私を孤独にした。でも、今はもうそんなことはない。私は、自分のカラダを愛しく思っている。嫌いなところも含めて、すべてが私のカラダなんだと受け入れられる。なのに、宗夫《むねお》はそうではないらしい。かつてあんなに愛してくれた私のカラダから、彼の興味がすでに失われているのがよくわかる。

もう二年付き合っていて、私たちはお互いのカラダをよく知っている。自分でも知らないところまで知っている。たとえば、宗夫のお尻の奥にある恥毛に埋もれた小さなホクロを、宗夫は知らない。宗夫が知っている私のカラダの奥にある柔らかく潤っている場所を、私は知らない。

恋が始まった頃、私は愛されていることに鈍感になろうとしていた。男の愛に気づかないふりをすることが、唯一の武器のような気がした。それは一種の怖れだったのだと思う。

そのうち、宗夫に愛されることに慣れて、私はやっと面倒な警戒心を捨てた。私も彼を愛した。そうして、私たちは抱かれるのでもなく、抱くのでもなく、抱き合うようになった。

恋はいつも終わるものだ。恋が永遠だなんて、そんな子供じみたことはもう考えていない。恋は病気にかかったようなものだから、熱にうかされる時期が過ぎれば、冷静な自分が戻って来る。問題は、恋が終わったその後だ。そこから愛という形になりうるのか、それとも別れを選ぶのか、そこでふたりは立ち止まり、お互いをはすかいに見つめながら考える。そしてさらに問題なのは、その結論は往々にして一致しないということだ。

タバコに手を伸ばすと、箱の中はからっぽだった。

青山にあるこのレストラン・バーは、一本吸うたび灰皿が取り替えられるので、いったい自分が何本吸ったか、よく覚えていなかった。ひとりで座るカウンターでは、お酒を飲むかタバコを吸うか、そのどちらかでしか時間をつぶせない。

約束の時間からすでに三十分が過ぎていた。私は三杯目のカクテルをからにした。宗夫は今夜も私を待たせている。いいや、もしかしたら来ないつもりなのかもしれない。

「たぶん」

週末に予定があくか確認した時、宗夫はそんな曖昧な言い方をした。駄目なら、むしろはっきりと言えばいいのに、彼は最近、いつもこんな言い方をする。

わからない。はっきりとした約束はできない。期待しないでくれないか。君がそれでいいなら、僕もいい。

そんな言い方をされるたびに、カラダの内側の皮膚がささくれだってゆくような気がした。その、「たぶん」という言葉を使われた時も、私はひどく自尊心が傷ついていた。

たぶん、の中には、今はあいているがいつ何時《なんどき》埋まるかわからない、という意味が含まれていて、それはいつ何時埋まるかわからない予定の方が、私と会うことよりも大事である、と宣言されたということだ。

その時、私は怒って電話を切ってしまえない自分の腑甲斐なさを承知しながら、その場を救う手立てとして、こんなふうに言った。

「私は八時過ぎにはあの店で飲んでるわ」

私はあなたを待ってない。私は自分が飲みたいからあの店に行くだけ。あなたは来たければ来ればいい。ええ、待ってない。

「そうか、わかった。行けたら行くよ」

宗夫のどこかほっとしたような声を聞いたとたん、何のためにこんな言い方をしたのだろう、と臍《ほぞ》を噛《か》んだ。私の控えめな抵抗など、宗夫にはまったく通じていない。むしろ、宗夫の負担を軽くしてやったようなものではないか。

バーテンダーと目が合った。彼はかすかにうろたえて、失態を見つかったかのように私より先に視線をはずした。そこには同情的な仕草が含まれていて、私はまたもや傷つけられなければならなかった。

四杯目をオーダーした。その切ないほど淡いペパーミント色をしたモッキンバードというカクテルを口に含むと、誰にもわからないように、投げ遣《や》りなため息をついた。よく、女友達が恋の相談を持ちかけて「彼の気持ちがわからない」と口走る。そんな時「もう少し時間をおいたら」などと口ではもっともらしいことを言いながら、頭の中ではいつもこう思っていた。

悪いけど、わからないのはたぶんあなただけ。もう結論は出ているんじゃないかしら。

本当は、私だってわかっている。週末の約束を積極的にしようとしない男の気持ちが、わからないわけがない。

私たちに具体的な別れ話が出ないのは、宗夫が面倒なことになるのを避けたがっているだけだ。別れを彼から持ち出せば、自分が悪者になる。宗夫はそれが嫌なのだ。だとしたら、最後を口にするのは、私しかいないということ。別れる理由など、何ひとつないというのに。

私がいったい何をしたの？

なのに、どうして私からこの恋にピリオドを打たなければならないの？

タバコがからっぽなのを忘れて、私はまた手を伸ばした。箱の手前で思い出し、指を止めた。

そろそろ帰り時かもしれない。時計は九時になろうとしていた。ここで新しいタバコを頼んでも、虚しさを燃やし続けるだけだ。

もし、宗夫が姿を見せたとして、彼がどんな言い訳を口にするかわかっていた。

「忙しい」というセリフが、まるで毎日の天気予報のように繰り返されていた。その言葉を信じて、一時間以上もの遅れをただの遅刻だと思っていた頃の私は可愛いものだ。

宗夫は故意にそれをしている。私を怒らせ、失望させ、自分に愛想をつかせようとしている。それに気づいてから、私はむしろ、宗夫を責めなくなった。電話がなくても、週末に会えなくても、こうして黙って待っている。別れたがっている宗夫の思いに気がつかないふりをして、恋人の位置を確保している。そして、そうするたび、私は自分を嫌いになってゆく。

宗夫が現れた時、九時を少し過ぎていた。

彼が店に入って来て私を認めた瞬間、かすかな落胆が頬の辺りをかすめたのを私は見逃しはしなかった。私は帰ってしまわなかった自分を憎んだ。

彼はスツールに座り、私に声をかけるよりも先に、バーテンにハーパーの水割りをオーダーした。それからゆっくり顔を向けた。

「もう帰ったかと思ってた」

皮肉な答えならすぐ思いついた。「いて、がっかりした？」けれど、それを言って憂鬱になるのは自分の方だ。「今、帰ろうとしていたところ」けれど、その答えはなおいっそう自尊心を傷つけそうな気がする。

「あと一杯だけ飲んでいこうと思ってたの」

私はにこやかに答えた。彼が最初にすべきことは、遅刻を謝ることだという気がしたが「たぶん」という言葉を受け入れた私には、その権利もない。

「仕事だったの？」

「ああ、もうくたくただよ。不景気なのに、忙しさだけは人一倍だ」

宗夫は今、私のどんな言葉を期待しているだろう。そう大変ね、という優しい言葉。宗夫なら大丈夫、という励ましの言葉。それとももっと軽いノリで笑いとばした方が効果的だろうか。私は迷いながらカクテルグラスを口に運ぶ。そして、どうして迷うのか、それを考える。私は宗夫に媚びようとしているのか。

そんなことを考えているうちに、言葉を返すきっかけを失ってしまった。私たちに沈黙が訪れた。

沈黙は、苦い樹液のようにふたりの間にとろりと流れ込んだ。出会った頃にもよくこうして沈黙した。けれど、それはまったく異質のものだった。あの頃、私たちは沈黙している時の方がはるかに多くを語り合っていた。沈黙の長さは、愛している、と言っているのと同じだった。あの頃も、私たちは沈黙を怖れたが、それは全身で愛しているると告白している自分が死にたいほど恥ずかしかったからだ。

この沈黙を解消するには、どちらかが話題を提供するしかないが、宗夫も私も何も言わない。意地になっているわけじゃない。私は胸の中に溢れるほどの言葉を持ちながら、どれをすくい上げればよいのかわからない。しかし宗夫は、言葉を見つけようとしていないのだった。最初から会話を放棄している。彼の胸の中は今、からっぽだ。さもなくば別のことで占められている。彼は意識して、隣に座る私のことを考えまいとしている。

カウンターの向こうにいるバーテンダーが、そ知らぬ顔で私たちの状況を観察している。せめて他人には恋人同士らしく見えていたいというささやかな望みさえも、叶えられそうにない。私は唇を噛んだ。


それでも三十分後に、私たちは同じタクシーに乗り、彼の部屋に向かった。

通い慣れた部屋だった。季節を二回ずつ、この部屋の窓から見送った。その間に、ベッドカバーとカーテンが変わった。ふたりで選んだものだった。

私たちは無言のまま服を脱ぎ、無言のままベッドに入った。シーツがやけに冷たく感じられて、背中や太ももの内側にうすく鳥肌が広がった。

その時、ふと、私はいつから自分で服を脱ぐようになったのだろうと考えた。

初めて宗夫と寝る時、もちろん私はすでにいくつかの恋を重ねていたが、まるでバージンのように、腕をいったい宗夫のどこに回せばいいのか困惑して、背中と腰のところを行ったり来たりした。

宗夫はキスをしながら、私のブラウスのボタンをはずそうとするのだが、うまくゆかず、焦《じ》れったがった。指先に気を取られて、キスがなおざりになり、歯が当たる。でも私たちは笑わなかった。照れ笑いをする余裕もないくらいうろたえていた。私たちはその時ただの少年と少女だった。

服を脱がすところから、セックスは始まる。私はブラウスという羞恥を剝ぎとられ、キャミソールという羞恥を剝ぎとられながら、これから自分にされるさまざまなことを想像して、いっそう羞恥を深める。

服を脱がせるというもどかしい行為を、宗夫と私は楽しんでいた。私はその楽しみのために、時には服より高価な下着を選んだ。

いつだって宝物は綺麗な包み紙に包まれている。レースやシルクの下着が少しずつチェストの中に増えてゆくのが嬉しかった。私は宗夫に脱がされるたび、自分が宝物になったような気がした。

たぶん、宗夫の私に対する興味が失せ始めたのは、包み紙を解くことを面倒だと思った時からだろう。宗夫はもう私のブラウスのボタンに指を伸ばさない。私は自分でそれをはずし、スカートのファスナーを下ろし、ブラジャーのホックをはずしながら、もう宗夫にとっての宝物ではなくなってしまったことをぼんやり知った。

私が宗夫に見切りをつけられない理由は何なのだろう。

結婚を望んでいるからか。宗夫の社会的な条件が惜しいからか。ひとりになるのが寂しいからか。もう若くないからか。もう一度、知らない誰かと一から恋愛を始めるのが面倒だからか。そんな相手が出現するという自信がないからか。性欲を満たす相手を失いたくないからか。

そのどれも当たっているような気がするし、どれも的外れのような気もする。

宗夫と知り合う前の一年間、私は恋をしていなかった。その時は、ひとりでいることの負担をほとんど感じなかった。むしろ、真っ白の予定を自分のためだけに埋めてゆける贅沢をゆっくりと味わっていた。私には仕事と、それに見合う収入があり、広くはないが快適な部屋と、気に入ったものをやり繰りして手に入れる余裕もある。心を許せる親しい女友達と、田舎には家族もいる。けれど宗夫と過ごした二年の後、かつてと同じ思いを持って生活することができるかというと、その自信は正直言って、まったくなかった。


私は宗夫を触るのが好きだ。

どうすれば宗夫が喜ぶか、私の指は完璧にマスターしている。時には舌も使う。私は宗夫が気持ちよくて小さくため息をついたり、傷ついた動物のようにカラダを震わすのが好きだった。そこは宗夫の一部でしかないが、その時、宗夫のすべてのような気がする。だから私はそこが愛しい。

しかし、宗夫は最近、私ばかりに触らせる。触るのが嫌なのではなく、彼が、私がどうして欲しいか考えようとはしなくなったことが私を落胆させた。私はそのことを、どう告げたらいいのかわからないまま、結局、いつも宗夫を受け入れることになる。

さまざまなことを言葉にする自信がなかった。言葉にしたら、私が本当に欲しいものとは違うように受け取られてしまいそうな気がした。

私が欲しいもの。それは時間をかけた愛撫でも、敏感な場所に舌を這わされることでもない。思わずそうしたくなるほど、私を愛しく思ってくれる宗夫の思いだ。私は私のカラダを気持ちよくしてくれる前に、私の心を愛撫して欲しい。濡れたい場所はもっともっとカラダの奥にある。けれど、そのことに宗夫は気づきもしなくなった。

心を快感で満たして欲しいという望みは、贅沢だろうか。けれど、私はそれを望んでもいいような気がする。私はそうやって宗夫を愛してきた。私が彼の全身を深く抱き締めるのは、その中に彼の魂が存在するからだ。

もし、私が少しも宗夫を愛していなかったら、きっともっと感じることができるのかもしれない。

愛、を考える時、その言葉は神様しか使ってはいけないような気がして、彼を愛していると思う私は、ひどく罪深いことをしているような気になる。

けれども、その言葉が本物であるかどうかの判断をする前に、思わず「愛している」と呟いてしまう罪をおかしたい。誰かが誰かを気にしたり、そのカラダに触れたいと思ったり、求めたり、奪ったり、それらは所詮、みんな罪深い行為なのだ。けれども、その罪が女をどんなに恍惚とさせるか、神様はとっくに知っている。

女のカラダは、相手がどんなに愛しい男でも、その瞬間、拒否してしまう時がある。それは鍵を開ける順番を男が間違えるからだ。女が最初に愛撫して欲しいものと、男が愛撫したがる場所は往々にして異なって、愛はシラける。

宗夫が姿勢を変えた。ベッドが揺れる。これから何が起こるのか。もちろん私は知っている。いつもと同じ手順。けれど今夜は、少し違う。何が違うと言うなら、私はもう気がついてしまったということ。

「待って」

宗夫は一瞬戸惑ったように動きを止めた。

「なに？」

「もっと触って」

宗夫は少し驚いたようだった。けれど、彼はとても紳士的なので、もちろん私の望みを叶えてくれた。

彼の指が私のカラダのいちばん不思議な形をしている場所で小さく螺旋を描く。私は目を閉じ、耳も閉じて、ひとりになろうとする。私はもう誰にも気を遣ったりしない。私の神経は、その不思議な突起物に集中する。

快感は我儘なものだ。セックスはふたりでするものだが、快感は私だけのものだ。私はそれを得るために、今、どんな我儘をも押し通したいと思っている。

宗夫が手を休めた。彼は早く、次にすすみたいようだ。けれど、私はもう、彼の快感のために自分に我慢をさせるつもりはなかった。

「続けて」

一瞬、宗夫の戸惑いが彼の指先から伝わってきた。宗夫が今何を思っているか、ということを考えるのはやめた。私は私が欲しいもののことだけを考えようとした。

両足に力をこめる。カラダ中の血液が、心臓ではない場所を中心に流れ始める。皮膚が一枚剝けてしまったみたいにぴりぴりし、私のカラダにあるへこんだすべての部分が、ざわざわと動き始める。少しずつ少しずつ、私はそこへと近づいてゆく。

私は私のカラダを愛しく思う。

たとえ、これから誰と抱き合っても、私ほど私のカラダを愛しく思う男はいないだろう。そのことを私は悲しいなどと思わない。もう愛されることをねだるために、私は自分のカラダを使ったりはしない。

私の欲しいものは、男から与えられるのではなく、いつだって私のカラダの中にある。

私は自分で脱いだ服を自分で着た。

ホックもファスナーもボタンもみんな自分でつけた。私はとても満足していた。宗夫のセックスではなく、私自身のセックスをしたという実感があった。

宗夫がぼんやりベッドから私を見上げている。私はとびきりの笑顔を向けた。

さよなら、宗夫。

さよなら、愛しい人。

私はやっと私の場所に帰ってゆける。

背を向けると、宗夫が何か言ったような気がしたが、私はもう、振り向いてそれを確認しようとはしなかった。

世にも優しい、さよなら

Such a gentle good-bye

「いい加減にしたらどうなの」

奈美《なみ》の言葉に、槙子《まきこ》はグラスを口に運びながら、少し笑って頷いた。

「うん、わかってる」

「わかってないわ。男なんてね、どんどん付け上がる生き物なのよ、何であなたがそこまでしなくちゃいけないのよ」

槙子はカウンターの向こうにいるバーテンダーに「同じもの」と注文する。ジンにレモン果汁を組み合わせたシンプルなカクテルは、ホワイトレディという名がついている。レディなんて言葉は、三十過ぎた自分にはもう似合わない。最初にオーダーする時は、いつも少し気恥ずかしくなる。

「それで、その費用をあなたがみんな出してあげたってわけ？」

奈美はワインを飲んでいる。流行《はや》りものが好きな彼女は、ここのところ赤ワイン一辺倒だ。

「仕方ないじゃない、お金がないっていうんだから」

「甘やかしすぎよ。自分のやったことでしょう、借金してでも自分で弁償するのが当たり前じゃない」

「まあ、そうなんだけど」

「まったく、男の方もどういう神経してんだか。とにかく、貸すならちゃんと返してもらいなさいよ。それでなくてもあなた、色々と面倒みてあげてるんだから」

先週、酔っ払った英明《ひであき》が飲み屋の看板を壊してしまい、その弁償をしなければならなくなった。金額は六万。泣きつかれて、槙子は黙ってその額を手渡した。

「ねえ、槙子。前から言いたかったんだけど、いくら彼が七歳年下だからって、男と女はあくまで対等でしょう。あなたは彼に尽くす一方じゃない。そういうの、何か違うと思うの」

「わかってる」

「結婚とか、どうなってるの」

「あるわけないわ。彼、半年もしないうちに大阪に帰るし、あっちに待ってる女もいるし」

奈美は思わずグラスを止めた。

「それわかってて……」

「いいのよ、私はこれで」

槙子はカクテルを口にする。レモンの香りがかすかに鼻先で揺れる。

奈美が呆れていることも、そして実のところ、ひどく心配してくれていることもよくわかっている。けれども、今は奈美の言葉を聞き入れることはできない。彼が去るまでの時間をかけて、槙子はできる限りのことをしようと決めていた。そう、自分にできる限りのことを、だ。

「そろそろ帰らなくちゃ」

槙子はバッグに手を伸ばした。

「彼と約束?」

「ごめん、まあ、そんなとこ」

今夜、英明は部長と一緒に飲みに出ていて、帰りに槙子のアパートに来ることになっている。あっそ、と奈美がそっぽを向き、槙子は肩をすくめた。

「私のこと、馬鹿な女だと思ってるの、よくわかってる。こうして、男のために大事な女友達まで犠牲にするなんて情けないったらないわ。でも、もう少し待って。あと半年、そうしたら決着がつくわ。不義理した分も、その時みんな返すから」

　奈美はふっと息を吐き出した。

「いいのよ、別に気にすることはないわ。男のせいで、友情は壊れたりしないって。お互いさまってとこあるもの。もう何も言わない。思い残すことがないようせいぜい彼に尽くせばいいわ」

　皮肉で言っているのではないことが、嬉しかった。槙子はホワイトレディを飲み干し、スツールから下りた。


　十一時過ぎに、英明はひどく不機嫌な様子でアパートにやって来た。

「どうしたの？」

「部長に説教されたよ」

　そう言って、乱暴にネクタイをはずす。

「何を言われたの？」

「この間、取引先への納入が一日遅れたことがあっただろう。相手には電話で謝ったんだけど、そういう時は直接出向くもんだってさ」

着ているものを片っ端から脱いで、英明は床に放り出す。それを槙子は一枚ずつ拾い上げてゆく。

「でも、電話で相手は納得してくれたんでしょう」

「そうなんだよ、なのに部長ときたら」

「だったらそれでいいのよ。あの部長、頭が古いのよ。わざわざ出向くなんて時間の無駄だわ。お互い忙しいんだから、あっちだって迷惑ってものよ。電話で済ませて正解よ」

英明はいくらか表情を崩した。

「そうだよな、やっぱり槙子もそう思うよな。僕のやり方、間違ってないよな」

「もちろんよ。今度、何か言われたら、部長の考えは古いって言い返してやればいいわ、何なら私が言ったっていい」

すっかり機嫌を直して英明が笑う。

「優しいんだな、槙子は」

「当然のことを言ってるだけよ」

「そうやって、いつまでも僕の味方でいてくれよ」

「ええ、私はいつだってあなたの味方よ。どんなことがあっても」

英明がブリーフ一枚の姿で風呂に入って行く。槙子は彼のために、洗ったばかりのバスタオルと下着とパジャマを用意する。すでに夜食の雑炊も出来上がっていて、彼が上がったらさっと温め直すだけだ。

風呂から英明の鼻歌が聞こえてくる。それを聞きながら、槙子はかすかにほほ笑む。残された時間、英明には精一杯の優しさで接するつもりだ。天女のように、天使のように。今はそうすることだけが、槙子の唯一の目的でもある。

✦

槙子と英明は同じ会社に勤めている。大阪に本社がある繊維会社だ。

二年前、英明が東京支社に転勤して来た時、彼は慣れない土地や言葉や方針にすっかり戸惑ったようだった。同じ課の年上の女性社員である槙子を頼りにしたのは、どこかに母親に甘えるような気持ちがあったのかもしれない。そして槙子の方も、苦労して馴染《なじ》もうとしている英明に好感を持った。

英明の転勤から三カ月ほどして飲み会があり、その帰りに、タクシーに乗り合わせたのは偶然だった。たまたま方向が同じで、だったら途中まで一緒に、ということになったのだ。槙子のアパートが近づいて来た頃、酒の酔いに加えて、彼は車にも酔ってしまったらしく、青い顔をして必死に吐き気をこらえていた。運転手がイヤな顔をしてルームミラーからチラチラと視線を送ってくる。中で吐かれたりしたら大迷惑だ。タクシーは槙子のアパートの前で停まったが、英明をひとり残すことはできなかった。結局、自分の部屋に連れて行った。

彼は洗面所で胃をすっきりさせると、槙子のベッドに横になり、やがて気楽な寝息をたて始めた。すぐには起きそうもなく、槙子は仕方なく化粧を落とし、シャワーを浴び、パジャマに着替えて、ソファに横になった。男を泊めているというよりも、田舎の従兄弟でも遊びに来ている、といった感覚だった。

明け方、英明は目を覚ました。申し訳ない、と頭を下げる彼に、眠気をこらえながら、気にしないで、と答えた。そうして彼はいったん玄関に向かったものの、不意に振り向き槙子を抱き締めた。

ずっとひとりで寂しかった。

英明は言った。その言葉がひどく切なく、頼りなく、愛《いと》しかった。

一度だけの関係と、割り切ることもできた。七歳という年齢差だけで、何もかも諦めてしまうほど自分を卑屈に思っているわけではないが、男に負担に感じられる存在になることだけは避けたかった。それくらいなら、なかったことにして頬被《ほおかぶ》りされる方がマシだった。

しかし、ふたりは始まった。

槙子といると落ち着くんだ。

英明のストレートな言葉に、槙子は頬が上気して、思わず俯《うつむ》いた。そんなふうに少女のようにはにかむ自分が可笑《おか》しかった。

好きな男の身の回りの世話をするのは楽しい。英明は週末、たいがい槙子のアパートで過ごす。その日のために、わざわざ遠くの高級マーケットに出掛けて、いつもの倍の値段はする食材を買って来た。英明は槙子の作った夕食を食べ、槙子の用意した下着やパジャマを着て、寛ぎ、自由に振る舞い、槙子を抱いた。たまには外で会いたいとも思ったが、誰に会うかわからないし、年下の英明のお給料がいくらかも知っていたので、無理をさせるようなことはしたくなかった。

やっぱり槙子がいちばんだ。

英明はよくそう言った。

僕のことを本当に理解してくれるのは槙子だけだ。

そんな英明に、大阪に女がいるらしいと知ったのは少し前のことだ。めずらしく英明の部屋に行って、英明がシャワーを浴びている時に留守番電話が作動し、メッセージが聞こえたのだった。

「この間は、わざわざ新幹線のチケットを送ってくれてありがとう。週末、間違いなく行くから、待っててね」

その一週間前、英明から借金を申し込まれていた。三万円ほどで、何に使うの？と聞いたら田舎の母親に誕生日プレゼントを買いたい、という答えがあった。母親、と言われて何も言えなくなった。その時はまだいくらかの期待もあって、もしかしたらいずれは自分の姑になる人かもしれない、という思いがちらりと頭をかすめた。頼まれた通り三万円を手渡した。それまでも、英明にはお金を貸していた。友人との飲み代とか、新しいシャツとか、一緒に出掛けた旅行代金とか、帰省の時の費用とか。ゆうに五十万は超えていた。

メッセージを聞きながら槙子は考えた。母親にプレゼントをする金もない英明が、わざわざチケットを買って送ったとはどういうことか。そんなお金がどこにあったのか。週末は接待ではなかったのか。その女は誰なのか。

翌週、槙子は事実を知ることになる。

昼食後の洗面所で、若い女性社員たちは噂話に余念がなく、その中に英明の名を耳にして、槙子は化粧直しの手を止めた。

「どうやら安井さん、半年後には大阪の本社に戻るらしいわよ。本人が希望を出したんですって。人事の子が言ってたわ」

「どうしてまた」

「結婚するらしいわ」

「えっ、そうなの」

「相手は大阪本社の受付の女の子。知り合ったのは入社してすぐで、こっちに来てからもずっと遠距離恋愛してたんですってよ。それって、もしかしたら今時めずらしい純愛物語かもね」

背中一面が粟立《あわだ》った。毛穴という毛穴がみんな広がってゆくようだった。やがて始業時間が来て、女の子たちはオフィスへと戻って行ったが、槙子だけはパフを持つ手を止めたまま、鏡の前に立ち尽くしていた。


英明は何も言わなかった。

何も言わず、いつものように槙子の作った料理を食べ、槙子の用意したパジャマを着て、テレビを見たり、お菓子をつまんだり、そうして槙子を抱いた。

「何か今日、変じゃない？」

ベッドの中で英明が言った。

「そう？　そんなことないけど」

「実は、またちょっと都合して欲しいんだ」

英明の声に姑息《こそく》なものが混じる。

「お金？」

「大阪の友達が遊びに来るっていうんだよ。代官山とか六本木とか連れてけってうるさくてさ」

「そんなところに行きたがるのって、まるで女の子みたいね」

「野郎だよ、野郎。女の子をナンパしたいんだってさ。いい年して何考えてんだか」

「いくらあればいいの？」

「うーん、できたらまた三万ほど」

英明は上目遣いで槙子の表情を窺っている。その甘えた目付きを、槙子はずっと別の意味に受け取ってきた。好意とか信頼とか心を許しているとか、早い話、そういうことだ。けれども大阪への転勤希望や、女の存在を知った今、つるりと皮が剝けたように別のものが覗いていた。

ナメている。タカをくくっている。見縊《みくび》っている。

静かに、怒りが身体《からだ》の奥底から這い上がってくるのを感じた。

「わかったわ」

答えると、英明はあけすけに安堵の息を吐き出し、槙子を抱き締めた。

「やっぱり槙子だ。助かるよ。サンキュ」

その時、槙子は固く決心したのだった。大阪に帰りたいなら帰るがいい。結婚したい女がいるなら結婚すればいい。ただ、東京にいる残りの半年をかけて、必ずこの恋に決着をつけてやる。

英明はよく会社の愚痴を槙子にもらす。

たとえば、こんなふうに。

「今日、女の子にコピーを頼んだんだけど、なかなか言うことをきいてくれないんだ。雑用するために会社に入ったんじゃないとか言って、近頃の子はまったく扱いに困るよ」

「本当ね。でもね、そんな子は叱りつければいいのよ」

槙子は当然のように答える。

「いや、やっぱりそれはさ」

「いいのよ、遠慮しないで叱っちゃえば。こんなこと女の私が言うのも何だけど、女の子なんて甘やかしたら付け上がるだけ。特に今の若い子たちは、いかに仕事をしないでお給料を取るか、そういうことしか考えてないんだから」

「けど、彼女たちを敵に回すと怖いからな」

「確かに、叱られた時はブスッてするかもしれないわ。でも、いつかはあなたのことを頼れる先輩って思うようになるわ。そんなものよ。優しいだけの上司なんて、結局は馬鹿にされるだけ」

「そうかな」

「そうよ。もう長くOLやってる私が言うんだから間違いないわ。あなたも自信を持って叱ればいいのよ。コピーでもコーヒーでも、何でも言いつけるの。それが結局、あなたの評価に繋がってゆくんだから」


ある時は、こんなふうに。

「実は、課のゴルフコンペの幹事を頼まれちゃってさ、参ったよ」

「そんな面倒なこと、あなたが引き受けることないわ。誰か別の人に押しつけちゃえば」

「けど、この間もそうして逃げたから、やっぱり今度ばかりはな」

「そんなことは仕事のできない人がやればいいの。あなたは雑用なんかに振り回されてる人じゃないわ。いつかは会社を背負ってゆくんだもの。同僚と同じ立場と思ってちゃダメよ。彼らも自分の部下ぐらいに考えておけばいいのよ」

「けどなぁ」

「私、前から思ってたんだけど、英明はもっと傲慢になって構わないんじゃないかしら。男の傲慢は自信の裏づけだもの」

「そんなことしたら、孤立するだろ」

「上に昇ってゆく人は、例外なく傲慢さを持ち合わせているわ。孤立だって選ばれた者の宿命よ。社長だって専務だって、みんな孤立してるじゃない。そういうことを怖がっていたら上は目指せないわ」

「そうだな」

英明がまじめな顔付きで頷いている。

こんなことを言う時もある。

「相手が契約になかなか応じてくれなくて参ったよ。これでもいろいろ気を遣ってるんだけど」

「取引先だからってへーコラ頭を下げる必要はないんじゃないかしら。そんな態度ばかり見せてたら、却《かえ》って相手に甘く見られるわ。あっちが何か言ってきたら、じゃあこの契約はやめましょうぐらいの脅しをかけてやればいいのよ。あちらはきっとあなたに一目置くようになるわ。接待の時だって、遠慮ばかりしてちゃ少しも効果がないわ。聞いた話だけど、カラオケで接待した時、相手が下手な歌を歌いまくるんで、いい加減うんざりした社員が『迷惑だからやめろ』って怒鳴ったら、相手側が『その正直さが気に入った』って、あっさり仕事がまとまったそうよ。そういうことは誰にでもできることじゃないけど、あなたならやれるわ。あなたって、人に反感を持たせない得なところがあるから」

「そうかなぁ」

「大丈夫、自信を持って」

時には、こういうことも。

「僕、掃除も洗濯も苦手だろ、いつも槙子には感謝してるんだ」

「そんなこと気にしないで。あなたは何もしなくてデンと座っていればいいのよ。家事は所詮女の仕事よ。男が手を出す必要はないわ。それに文句をつける女もいるけど、そういうのは、最初に甘やかしたからだと思うの。女はね、本来、男に尽くすことに喜びを感じる生き物なのよ。あなたは仕事で疲れているんだもの、家では王様になって、女に遠慮せず、顎でコキ使えばいいのよ。結局は、それが女の幸福なんだから」

そしてまた、こういうことも。

「金、ないんだ」

「いくらいるの？　一万円？　それでいいの？　返すことなんて気にしないで。もう一万渡そうか？　お金を借りることに遠慮なんかいらないわ。お金は、あるところからないところに回ってゆくものよ。友達にだって借りたっていいと思うわ。よく、お金で友情が壊れるっていうけど、私はそうは思わない。それは最初からその程度の友情だっただけよ。本当の友情ってそんなことで壊れたりしないわ。それに、あなたはお金を借りたかもしれないけど、お金では計ることのできない価値のあるものを、友達に与えてあげているはずよ。友達だって、そのことがわかっていれば、貸さないとか返せとか、細かいことは言わないわ。本当の友達であればあるほど、相手に甘えることも大切なの」

こんなことも。

「ねえ、英明。本当のこと教えてあげる。セックスのこと。女はね、結局、男に乱暴にやられたいって願望が心の奥底にあるのよ。だから、前戯とかより、もういきなりっていうのを望んでるの。イヤ、なんて言うのもたいていは嘘。演技なのよ。そういう時は、強引にやってしまえばいいの。自分本位で構わないのよ。女に尽くさせるのも大切よ。フェラチオとか、何でもさせちゃえばいいわ。逆に、男があんまり女に奉仕するのはいただけないわ。女はいつも自分を従わせて欲しいの。そういう強さを求めているの。女はね、本当は男よりずっとエッチでいやらしいのよ。いつも、やって欲しいってばかり考えてるんだから」

✦

「それで、彼はついに帰って行ったわけね」

奈美がグラスを傾ける。前に一緒にここで飲んでから半年近くたっているが、まだ赤ワインに凝り続けているようだ。

「ええ、一週間前にね」

「この半年で、決着はついいたんだ」

「ついたわ」

槙子はもちろんホワイトレディだ。

「そう。でも、何だかちょっと拍子抜け」

「どうして？」

「落ち込んでるとばかり思ってたら、すごく楽しそうなんだもの」

「ふふ」

「とても、男と別れたばかりとは思えないわ。何があったの？」

「別に何も。でも、今頃、彼が大阪でどういう暮らし方をしているかを考えると、とっても楽しいの」

半年の成果を、実際に見られないのが残念だった。しかし、じきに噂は東京支社にも入ってくるだろう。

英明は今、どんなふうに上司や、同僚や、取引先や、友達や、恋人と接しているだろう。東京支社から転勤する時、女性社員たちがこぞって拍手した意味を英明は少しもわかっていない。あいつ、変わったな、という同僚の評価を胸を張って受けるような男になった。半年かけて、槙子は英明を最低の男にした。それは思ったよりずっと根気がいったが、とても刺激的な作業だった。

「同じもの」

槙子はバーテンダーに注文した。

「少しジンを強めにして」

やがてホワイトレディが差し出され、槙子は指先でグラスを持ち上げると、誰にというわけではなく、乾杯、と言ってほほ笑んだ。

私が愛した男

The man I loved

目が合った瞬間、その男をあからさまに見つめていた自分に気づいて、私はいくらかうろたえた。

カウンターの中にいるバーテンダーに向かって、二杯目のダイキリをオーダーする。若い頃、男から見つめられることはあっても、見つめることなどなかった。三十代も半ば近くになると、こんな際どい態度もつい出てしまうものなのだろうか。

グラスを口に運びながらも、目の端では、カウンターのいちばん端に座るその男をまだ意識している。確実に十歳は年下の美しい男。肉のない頰と、どこか人生を拗《す》ねたような眼差し。崩れた着方のスーツに隠された肉体をつい想像してしまう。

そろそろ深夜と呼べる時間に差しかかっていた。しかし、この青山界隈はこれから人々が動き始める。ここは夜に目を醒《さ》ます街なのだ。

男が席から立ち上がった。私はダイキリを飲みながら、少し緊張した。男が私に向かって近づいて来るのが感じられた。

「隣の席に誰か座る予定はある？」

その声が少しも期待を裏切らない心地よい響きを持っていたので、私は少し舞い上がった。もちろん、そんな態度はおくびにも出さない。

「ないわ」

私は彼を見ないで、正面を向いたまま答えた。

「僕が座ると邪魔かな」

「どこに座っても、それはあなたの自由よ」

彼はいくらか困惑の表情を浮かべた。私のセリフが意地の悪い女のものか、これくらいの年齢の女が持つ独特の躊躇《ちゅうちょ》であるか、それを見抜くことができれば、相当の遊び人と言っていい。

「あっちのグラスをこちらにお願いします」

男はバーテンダーに言って、するりと隣の席に腰を下ろした。その言い方は私に話しかけるよりずっと丁寧で、意外な気がした。見かけより好青年なのかもしれない。

「素敵な色だね。ブルーがよく似合う」

「そう？　ありがとう」

私はかなり気分をよくした。このシフォン素材のブラウスは昨日買ったばかりのものだ。高くて迷ったが、やはり買ってよかった。

「聞いてもいいかな」

「なに？」

「どうして、あんなに僕を見てたの？」

彼はカウンターに左肘を乗せて、身体《からだ》半分を私に向けた。若いくせに、と思いながらも、その生意気な口振りは彼になかなか似合っている。

「女から見られるのは慣れているって態度だったわ」

「確かに慣れてるよ、でも、あなたの目はそれとは違ってた」

私は戸惑って、ダイキリを口に含んだ。

「どんなふうに？」

「たいていの女性はメスの匂いを発散させている。早い話、セックスを感じさせるきわどい視線を送ってくるんだ。でもあなたは違ってた。たとえて言えば、絶望している、みたいな感じかな」

私は笑った。

「その方が危険じゃない？」

「刺激的だった」

「あなたが、昔、知ってた男に似てたの」

その答えに彼は少し落胆したようだった。誰かに似ている、そんなセリフはたぶん百万遍も使われ、百万遍も使ってきたのだろう。

「つまり、その男はかつてあなたの恋人だったってわけだね」

「ええ、そうよ」

「なるほど、早くもライバル登場ってわけか」

私はゆっくりと彼に顔を向けた。自尊心をくすぐる言葉をさらりと口にする。初対面の、それも年上の女の扱いを十分に心得ている。彼は予想通り、女たちから労せずお金を手に入れる方法を知っている種類の男だ。

似ていると思ったが、こうして間近で見るとそうでもないと思い直していた。目の前の若者は陽次《ようじ》よりもっと線が細く、小賢《こざか》しい印象がある。

「どんな男だったの？」

彼が尋ねた。私はグラスを目の高さまで持ち上げた。液体の中でダウンライトが湖面に浮かぶ月のように揺れている。

「私に我を忘れさせた男」

「へえ」

呆れたように、彼が小さく息を吐き出した。

私はグラスをゆっくりと口に運んだ。記憶が酔いとともに身体の中に満ちてくる。

狂ったように、あれほどひとりの男を求めたのは、後にも先にも陽次だけだ。


会ったとたん、私は陽次に恋をしていた。

今から十年あまりも前の話だ。私は二十三歳だった。四歳上の陽次は音楽大学でピアノを専攻し、クラシックを学んだが、卒業後は友人たちとジャズバンドを組み、クラブやライブハウスで演奏をしていた。

大学時代からの友人だった裕子《ゆうこ》に誘われて、私は初めて彼のピアノを聞いた。渋谷の小さなライブハウスだった。ロックやポップス系の音に慣れていた私は、頽廃《たいはい》的な大人の匂いがするジャズにいっぺんに魅せられた。皮膚の柔らかいところが粟立《あわだ》つような興奮だった。しかし、それはジャズにというより、演奏していた陽次に対してだったのだろう。

陽次の指がしなやかに鍵盤を滑る。五本の指が別の意志を持った生き物のように動く様は私を驚かせた。それはひどく優艶《ゆうえん》で、激しくて、ふしだらだった。その時から、私は陽次から目が離せなくなった。

バンドのメンバーたちと裕子は知り合いで、ライブのはねた後の飲み会に誘われた。その時、私はついコットンの下着をつけていることを考えていて、そんなことを考えた自分に顔を赤らめた。

単調なOL生活に厭《あ》き厭《あ》きしていたせいもあったのだろう。私はそれから裕子に誘われるまま、時にはこちらから頼んで、ライブハウスや彼のバンドが出演するパブやクラブに出掛けるようになった。

陽次は才能に溢れていた。陽次を知っている誰もがそう言ったし、素人の私でもそのことは納得できた。同じ旋律でも、陽次が弾くとまったく違った曲に聞こえた。ざわついたパブやクラブも一瞬しんと静まり返って、客たちは神妙に聞き入った。あとはチャンスだけだった。

しかし成功するためのチャンスを摑もうにも、陽次は自分から売り込むことを極端に嫌って、なかなか巡ってはこなかった。それでも陽次は平気だった。遅くても必ず守られる約束のように考えていた。

「欲しいものはなに?」

と、出会った頃に聞いたことがある。その時、陽次は美しい切れ長の目を向けて、こう答えた。

「中指をもう一本」

「どうして」

「弾けない曲がなくなる」

陽次には執着とか欲望とかいう感覚が皆無だった。お金も名誉もいらない。音楽さえあればそれでいい。女に対してもそれは同じだった。そのくせ陽次の周りには女たちの影が常に見え隠れしていた。

陽次は私の周りにいる男たちとは明らかに違っていた。大手の電気メーカーに勤める私のそばには、出世とローンとプロ野球にしか興味がない男たちしかいなかった。私には陽次が奇跡に見えた。芸術とか、才能とか、夢とか、可能性とか、新しい世界とか、彼を見ているとそんな言葉が春先の羽虫のように頭の中を飛び交った。

陽次と裕子が付き合っていることを知るのに大して時間はかからなかった。嫉妬というより、当然のような気がした。私にすれば、陽次に夢中にならない女などいるはずがないと思っていた。実際、裕子は陽次に夢中だった。ただ、陽次が裕子に夢中であるとは思っていなかった。裕子はすべすべした肌と、愛らしい笑くぼ、そして素直な性格を持っていたが、それは特別のものではなく、二十代前半の女なら、多少の違いはあっても誰もが持っている種類のものだった。たまたま先に陽次と出会い、ささいな偶然がふたりを恋人にしたとしか思えなかった。

私は陽次が欲しかった。裕子の恋人だとわかっていても、どうしても手に入れたかった。

「結婚してるんだね」

男が私の左手の薬指を見て言った。

「結婚している女は嫌い？」

私は指輪を右の人差し指でなぞった。

「いいや、大歓迎さ。ただ、主婦がこんな時間にこんなバーでひとりで飲んでていいのかなって思っただけ」

「主婦って私のこと？」

　彼は怪訝《けげん》な顔をした。

「結婚してる女の人はみんな主婦だろう？」

「ピンとこないわ。私は妻で会社員でひとりの女だけど、主婦って言われると何だか居心地が悪いわ」

「なるほど、夫と対等な立場ってわけだね」

　いくらか茶化すように、彼は言った。こんなに若くて、こんなに美しく、たぶん女から躊躇なくお金を受け取ることができても、結婚した女を主婦と呼びたがる男の本質は、いったいいつまで受け継がれてゆくのだろう。

「あなた、恋人は？」

　今度は私が質問した。

「世の中すべての女性が恋人さ」

　などと臆面もなく言う彼の軽薄さは、むしろほほ笑ましい。美しいが、冷酷でその上頭のいい男など、今の私には鬱陶《うっとう》しいだけだ。私は改めて彼を眺め、値踏みした。

そうされることに、彼が少しも屈辱を感じていないのが可笑《おか》しかった。

「聞いてもいいかな、そのかつての恋人の話」

「いいけど、きっと退屈するわ」

「どんなセックスをした？」

　私は彼を見た。今度は彼が私を値踏みしている。


　陽次と初めて寝たのは、出会って半年ほど過ぎた頃だ。

　女は自分の恋を話したがる生き物だ。裕子の話を私はいつも辛抱強く聞いてやった。そうしていつも思うのは、私の方がもっと愛している、ということだった。

　雨が降ったのが好都合だった。私は何の前触れもなく、陽次のアパートを訪ねた。前夜、裕子からふたりが口争いをしたことを聞いていた。

「あなたといると、私は駄目になる」

　そう陽次に言ったことを裕子は私に告白し、ひどく後悔していた。

　雨がブラウスを濡らし、肌にぴったりと張りついていた。もちろん、私はその時、コットンの下着などつけてはいなかった。

裏切りなどとは、考えてもいなかった。陽次が裕子の恋人であるという事実に、私をとどめる威力はまったくない。私の頭の中にあるのは陽次だけであり、彼への思いを否定できるのもまた陽次だけだった。

開けたドアから、陽次が顔を覗かせた。驚いてはいたが、そして少し迷惑がってはいたが、私に傘を渡して帰すようなことはしなかった。部屋に入ってから「どうしたんだ」と尋ねる陽次に、私はきっかり三十秒の沈黙を置いて、あなたに抱かれたい、と告げた。陽次は少し瞳をうろたえさせ、洗面所に行ってバスタオルを持って来た。

「使うといい」

「あなたに抱かれたいの」

もう一度言った。陽次が私を見つめた。陽次は迷っている、そのことがわかった時、私は勝ったと思った。迷いはすでに陽次の気持ちが裕子から離れている証拠だ。

私は陽次の手を取った。バスタオルが床に落ちた。彼のその美しくしなやかで、力強く、淫靡《いんび》な動きをする指を口に含んだ。舌先で指を愛撫する。唾液が陽次の指に絡みつく。陽次の指先が私の体温と同じになる。やがて、私はその指を口から離し、スカートの中の、潤った場所へといざなった。陽次の指が少したためらう。しかし、それは少しだけだ。ショーツの中で、彼の指がわずかに動いた。彼に意志が芽生えたことを確信して、私は目を閉じた。そうして、陽次の指が静かに、しかし確実に快楽の一点を探し当てるのを待った。


「つまり友達から恋人を奪ったわけだ」

私は急に甘いものが飲みたくなって、ベイリーズをロックでオーダーした。そのとろりとした液体は、ゆっくりと私の身体の内側をなぶるように流れ落ちてゆく。

「そんなの、誰でも一度や二度は経験があるでしょう」

「女は友情と恋を秤《はかり》にかけた時、絶対に恋をとる生き物なんだよな」

そして彼はきっぱりと付け加えた。

「でも、男は違う。男はそんなことはしない」

「女の方が正直なのよ。女は無意味なやせ我慢なんてしないの」

「やっぱり女って物事を子宮で考えるんだ」

私は思わず笑い声を上げた。

「ねえ、そういうこと、誰に教わったの？」

「誰にって、よく聞くだろう」

「そうね、男たちはそんなことを言ってるみたいね。でも、そんなことを言っている男たちは、自分の理解が及ばないことにはみんな安っぽい理屈をつけて納得する、その辺に転がっているありきたりの男たちよ。あなた、自分をそんな男たちと一緒にするつもり?」

「まさか」

「だったら、そんなセリフは口にしないこと。あなたには似合わないわ」

彼は一瞬黙ったが、バーボンを舐《な》めると、素直に私の言葉を聞き入れた。

「そうだね」

彼に年相応の素直さが覗いた。しかし、もしここで彼が怒れば、まだまっとうな男でいられるかもしれないのに、と私は少し同情的な気分にもなっていた。そこら辺りに転がっているありきたりの男たちは、それはそれで男としてまっとうなのだ。汗して稼ぎ、家族を守って生きてゆく。決められた税金を納め、時折キセルぐらいはするけれど、それと同じくらい募金にも協力する。怒らない彼は、きっと本当にどうしようもない男になるだろう。

「それで、その友達とはどうなった？」

「あれから一度も会ってないわ」

私は視線を宙に泳がした。

今裕子がどこで、何をしているか、噂話さえ耳に入ってこない。


私と陽次のことを知った裕子は、私を殴った。

あんなに憎しみのこもった人間の目を、私はその時まで見たことがなかった。人に殴られるのは初めてだったが、音のわりには大して痛いものではないな、などと考えていた。そんなことより、それで私は加害者ではなく、被害者となって陽次を手に入れることができたような気がしてほっとしていた。

実際、陽次は裕子にこう言った。

「僕を殴れ」

私はうっとりとそのセリフを聞いていた。いちおう私も口では「ごめんなさい」と言いながら泣いたが、内心では勝利に狂喜していた。

私はとことん、イヤな女に成り下がっていた。

それだけ陽次に夢中だったということだ。陽次のためなら何でもできた。陽次にさえ愛されれば、世の中のすべての人間に憎まれても構わなかった。

陽次の周りに見え隠れする女たちを、私は根気よく追い払った。そうして音楽だけに集中できる環境を惜しみなく与えた。時間もお金も労力も。陽次は必ず世に出る男だ。その才能を持った男だ。それを疑ったことなど一度もなかった。何よりも、私は陽次と一緒にいるだけで幸福だった。

「すごいな、そこまでひとりの男にのめり込むなんて」

彼がため息をつく。

「そんなふうに、愛されてみたい？」

尋ねると、彼は肩をすくめて、首を振った。

「悪いけど、僕はごめんだな」

「わかるわ」

「怖くて、窮屈で、息苦しくて、重い」

「ほんと」

「そんな愛し方も、僕はしない。できない」

「ええ、それが賢いわ。私もこりごり」

私はベイリーズを飲み干した。グラスが薄い皮膜に覆われて、汚れた感じがした。口の中に熟れすぎた果実に似た甘さが残り、私は唇をゆっくりと舐めた。少し、飲みすぎたかもしれない。

「ねえ、これからどうする？」

彼が言った。カウンターの下で、彼の膝が私の腿《もも》に触れている。

「まだ、ここで飲む？　それとも」

もちろん、言葉の意味はわかっている。彼の目的は最初からひとつだ。それも悪くはないと思ったが、私は彼にお金を渡す自分の姿を想像して、すでに傷ついていた。腿に伝わってくる彼の膝の感触も、性欲を呼び起こしはしない。しばらくの間、言葉をどう選べばいいか迷っていると、察したように彼が笑った。

「いいよ、無理強いするつもりはないんだ」

正直言って、ほっとした。せっかく気持ちよく酔っているのに、断ったとたん、悪態をついて席を立つ彼の姿を見たくなかった。

「悪かったわ、その気がないのに、話し相手にさせて」

「僕だって、いつも計算ずくで声をかけてるわけじゃないさ」

唇の右端をきゅっと持ち上げて笑う彼は、女に後悔という置土産をするだけの才能を十分に備えていた。

「あなた、きっと本物の女たらしになれるわ」

「その言葉、ありがたくいただいておくよ」

そろそろ潮時だった。これ以上、会話を長引かせても野暮になるだけだ。私はバッグに手を伸ばした。それに、あまり遅くなれば、また夫の機嫌が悪くなる。

家に帰るのを一分でも遅らせたいがために、私はありとあらゆる言い訳を駆使して、会社帰りにこうしてひとりで飲みに出る。今夜は棚卸しがあって忙しいと言ってきた。昨日は確か、パソコンが壊れたと言った。

「行くわ」

私はスツールから下りた。

「最後に聞いていい？」

彼の言葉に振り返る。

「なに？」

「その恋人とはその後、どうなったの？」

私は遠くに思いを馳せた。

陽次、陽次、私が死ぬほど愛した男。

いったん床に目を落とし、私は彼を見つめ直した。

「死んだわ」

彼の顔が一瞬緊張する。

そう、陽次は死んだのだ。才能に溢れ、自信に満ち、あのしなやかな指で、私を狂わせるほど夢中にさせた陽次は死んでしまった。

「そうか、ごめん」

「いいのよ」

私はほほ笑んだ。

「じゃあ」

だったら、家にいるあの男は誰なのだ。

私は、マンションのソファの上で、膝の出たグレーのジャージ姿でだらしなく寝そべる夫の姿を思い出していた。

いいや、あれは陽次ではない。陽次という名前を持つ別の男だ。あの陽次が、結局どこのプロダクションからも声がかからず、ライブどころかパブやクラブの仕事もなくし、やがて暇つぶしに子供相手のピアノ教室を開き、その子供の母親と昼下がりの浮気を楽しみ、私の収入をアテにして、酒を飲み、パチンコに通い、気に入らないことがあれば私を殴り、蹴り、髪を摑んで引きずり回す、そんなことをする男のはずがない。

陽次、陽次、私が死ぬほど愛した男はもう死んでしまった。

「ご主人によろしく」

彼が言った。

「さよなら」

私はほほ笑みながら彼に背を向けた。

共犯者

My accomplice

電話がコールし始めた。

友希子《ゆきこ》は掃除機を持つ手を止めて、リビングの真ん中に立ち尽くした。コールはまるで、罪深い者を追い詰める教会の鐘のように鳴り続いている。

早くやんで。

祈るように唇を噛む。

早くやんで、さもないと。

やがて痺れを切らしたかのように、コールは止まり、友希子はほっとして再び掃除を開始した。それでも耳は電話に集中している。また鳴りだすかもしれない。いや、きっと鳴りだす。

そう思ったとたん、コールが始まった。十五回数えてから、友希子は掃除機のスイッチを切り、ゆっくりと電話に近づいた。まだコールは続いている。ようやく決心がつき受話器に手を伸ばした。その時、すべてを見透かしたかのように止まった。突き放されたような気がした。

電話を見下ろしたまま、友希子はしばらくじっとしていた。嫌悪と戸惑いがないまぜになって、ひどく腹立たしかった。しかしそれは電話の相手に対してなのか、それとも自分へのものなのか、うまく理解できなかった。

もうかかってはこない。これほど無視すれば、さすがにかけてくる気も失せるだろう。

手を引っ込めると、再び電話が身震いするようにコールしだした。不意をつかれて、友希子は反射的に受話器を取り上げた。

「もしもし」

硬い声で告げる。

「あ、友希子。私よ」

尚美《なおみ》の声だ。

「ああ」

思わず気の抜けた返事をした。

「どうしたの、電話してまずかった？」

「ううん、そんなことないわ。ねえ今、うちにかけた？」

「これが初めてだけど」

「そう、だったらいいの。ちょっと掃除機を使ってて聞こえなかったものだから。それで、なに？」

「大した用事じゃないの。久しぶりに会えないかと思って。一緒に食事でもしましょうよ」

「そうね」

　せっかくの誘いだが、あまり気乗りしない。すぐに尚美はそれを察したらしい。

「明日はどう？　都合が悪いならあさってでもいいわ。言っておくけど、ノーはダメよ。いつも、そうやって私の誘いから逃げてばかりなんだから。それに、ちょっと話もあるの」

　どうせ夫の帰りは遅い。一緒に夕食をとることなど、せいぜい月に一度か二度だ。テレビを相手に、手を抜いた料理を黙々と口に運ぶ毎日には、うんざりを通り越し慣れ切っていた。

「わかったわ」

そう答えると、時間と場所を約束して電話を切った。

掃除はすぐに終わった。洗濯ももう済んでいる。お風呂も洗い、布団も干した。今日は菓子作りの教室も、アロマテラピーの講習もない。あとは空白の時間が待ち構えているだけだ。夫が帰るまでの果てしない時間をどう過ごそう。

子供がいれば、また違った生活があったかもしれない。望んでも、それは叶えられなかった。今はもう諦めている。というより、これが自分の運命なのだと受け入れている。

都下の2LDKのマンション暮らし。贅沢はできないが、経済的に困ることはない。友希子が働くことは夫が嫌がり、それに従うことに何の抵抗もなかった。主婦としての生活。静かで穏やかな毎日。不満など口にしようものなら罰があたる。

十年前、二十代の半ばに七歳違いの夫と上司の紹介で知り合い、半年ほどの交際で結婚をした。

夫は決断力のある男だった。闊達《かったつ》で人との付き合いがうまく、世の中のことをよく知っていて、新聞の一面を隅から隅まで読み、日曜の午前中は、政治家たちの討論会に熱心に耳を傾けるようなタイプだった。この人に任せておけばすべてがうまくゆく、一緒にいるとそんな安心感に包まれた。

夫の帰りが毎日遅いのや、週末になると接待で家をあけるのは、八割方は本当だろう。夫は重要なポジションにつくようになっていて、何か言おうものなら「おまえに仕事の何がわかる」という言葉が返ってきた。けれどもちろん、すべてが仕事ではない、ということもわかっている。

女がいる。

その思いは強い。しかし証拠はない。もっと若ければ、しつこく問いただしたり、時には家を飛び出したりしたかもしれないが、今はコトを荒立てて、この生活をフイにしてしまうほどの勇気があるわけでもなかった。

結婚して十年もたてばそんなもの。

誰に聞いてもそう言うだろう。そして、その通りだとも思う。

そうやって曖昧なまま、生活の中に埋没させてしまうのもひとつの方法だ。それぐらいの知恵なら、友希子にもある。

「愛している」

彼は言った。

「常軌を逸しているとあなたは思うかもしれない。そのことは、自分がいちばんよくわかっている。でも、もうこの気持ちを抑えることができない。愛している。毎日、あなたのことばかり考えている」

苦渋に満ちた彼の声が、友希子の身体《からだ》を埋め尽くしてゆく。

「あなたは伊島《いじま》の奥さんだ。友達の奥さんにこんな気持ちを抱くなんて道理に反している。それでも、僕はこの思いを胸にしまい込むことができない。たとえ親友を裏切ることになっても、もう止められない。愛している。愛している。できるなら、あなたを今すぐ奪いにゆきたい」

何か答えようにも、喉の奥が乾いたようにぴたりと貼りついて言葉が出ない。

「自分でも驚いているんだ。僕にまだ、こんなにも人を愛する情熱が残っていたなんて。僕はもう、さほど若くはない。許されるなら、残された時間をあなたと共に生きたい。あなたとなら、きっと生まれ変われる。あなたしかいない、あなたが必要なんだ。あなたを愛している。心から愛している」

ぐらぐら身体が揺れている。両足から力が抜けてまともに立っていられない。彼の言葉に、すべてが覆されてしまうような恐怖を感じる。友希子は息を止め、ただ黙って受話器を置く。


「ちょっと驚いたわ」

その言葉に、友希子は顔を向けた。落ち着いた和食屋での食事を済ませ、その後、尚美に連れて来られたのが、青山にあるレストラン・バーだ。ふたりはスプモーニというカンパリのカクテルを口にしている。

「なに？」

「だって、何だかすごく綺麗になってるから」

「あら、尚美がお世辞なんてめずらしい」

「恋でもしてるとか？」

「まさか」

「でも、そんな感じ」

「あるわけないじゃない。昨日もおとといも、一週間前も一カ月前も、同じことを繰り返している退屈な主婦よ」

「つまりそれは、ご主人とうまくいってるってことね」

友希子はグラスを持つ尚美の指先に目をやった。節の目立たない、すんなり伸びた白く華奢《きやしや》な指。台所の洗剤や布団干しなどで少しも痛めつけられていない指は、シングルの彼女の生活を象徴しているように見える。

「決定的なことがないだけよ」

それから付け加えた。

「結婚して十年たってわかったことは、夫婦仲はうまくやるのではなくて、まずくならないようにするってこと。壊れないのなら、それで上出来なの」

「なるほどね、肝に銘じておくわ」

尚美は、バーテンダーに「同じもの」とグラスを押しやった。カンパリとグレープフルーツジュースが、手際よく注がれてゆく。

「話があるって言ってなかった？」

「まあね」

「なに？」

「実は私、来月、シンガポールに行くの」

「あら、旅行？」

「残念ながら仕事よ」

「どれくらい？」

「たぶん二年、ううん三年は帰って来られないと思うわ」

「そんなに」

　思わず、尚美を見た。

「だから、友希子にちゃんと会っておきたかったの」

　尚美は満ちたグラスを口に運んだ。

「ねえ、友希子。前から思ってたんだけど、もしかして私を誤解してない？」

「何のこと？」

「ご主人とのことよ」

　一瞬、黙る。

「そのことがずっと気になってたの。確かに、ご主人と何度か一緒に飲んだことはあるわ。でも偶然よ。オフィスが近いんだもの、そんなこともあるわ」

「わかってるわ」

「ならいいけど」

「私は何も誤解してないわ。本当よ」

ふたりの目が合う。

「そう。わかったわ、そのまま受け取ることにするわ。とにかく、これを言っておかないと気になって、シンガポールに発《た》つ気になれなかったの」

「気をつけて」

「ありがとう」

帰りのタクシーの中で、シートに身体を預けながら、友希子は窓に滲む風景を追っていた。尚美はああ言ったが、すべてを信用しているわけではなかった。バレてしまう前に、先手を打ったのかもしれない。シンガポールに発つ前になって、良心の呵責とやらに耐えられなくなったのかもしれない。

けれど、そんなことはもうどうでもいい。友希子はゆっくりと目を閉じた。もう、そんなことはどうでもいい。

「わかっている、あなたを困らせているということは。けれど、あなたは本当に今の生活に満足しているんだろうか。伊島と暮らして幸せなんだろうか。いつも思っていた、何て寂しそうな顔をしているんだろうと。僕なら、決してそんな思いはさせない。愛している。愛している。君が欲しい、君を抱きたい」

倉本《くらもと》は、夫の古くからの友人だった。

比較的近い場所に居を構えていたこともあり、結婚当初から互いに夫婦単位での付き合いを続けてきた。倉本の妻はふたりの子供を保育所に預けてインテリア関係の仕事を続け、明るく奔放な性格で、どちらかと言うと温和《おとな》しい倉本を頭から押さえつけているようなところがあった。

半年ほど前、倉本は妻と離婚した。詳しい事情はわからないが、妻が家を出て行き、子供も取られてしまったという。そのことは夫から聞いていた。仕事もうまくゆかず、生活はかなり荒れているらしく、夫はあまりいい顔をしなかったが、見るに見兼ねて、何度か倉本の部屋の掃除や食料の買い出しに出向いたことがある。

倉本は、夫とはまるで正反対だった。大声を上げたり、人を露骨にからかったりするようなことはなく、細やかな神経を持ち、同時にそれを恥じ入るような繊細さも備えていて、友希子は前々から好もしい印象を持っていた。彼と話していると、川の流れが緩やかに合流してゆくような安らぎを感じた。もちろん、だからといって倉本を夫の友人という目以外で見たことはない。

倉本の告白は唐突だった。初めて気持ちを明かされた時、驚いて、逃げるように家に帰った。それからほとんど毎日のように倉本からの電話が入るようになった。時には、マーケットや公園といった場所に姿を現すこともあった。

「やめてください。私につきまとわないで」

厳しい口調でそう言った時、倉本はひどく傷ついた顔をして、うな垂れた。

「わかっている。すまないと思っている。僕もこんな非常識なことをしている自分を、どうしていいかわからないんだ。伊島に告げてもいい。警察に訴えても構わない。いや、むしろそうしてくれないか。その方が僕も諦めがつく。どうしようもないんだ。愛しているんだ」

まるで身体を鷲掴みにされるようだった。今までこんなにも激しく、こんなにも一途に求められたことはない。強引に、性急に、遮二無二、無謀に想いをぶつけられたことはない。

そしてたぶん、これからもありえない。もう若くはなく、美しくもなく、そして臆病な女は、じっと終わりに向かうだけの生き方しか与えられないと思っていた。

やめて。

友希子は拒絶する。しかし、それと同じ重さの動揺がある。恐怖する。そして、それと同じ深さの甘美がある。

やめて。

自分の声が崩れてゆく。怖れながら、拒みながら、少しずつ意志を失ってゆく。

「今夜も遅くなるの？」

「ああ」

夫の答えはいつもこの二文字だけだ。

今日が結婚記念日であることに気づかないなんて、よくある話だ。そんなことで腹を立てるほどもう子供じゃない。妻の誕生日や、髪型を変えたことや、週末に出掛ける約束をしていたことや、もう何カ月セックスしていないかということも、気づかなくても仕方ない。けれど、それがすべてとなれば話は別だ。

友希子は今日も掃除機をかけている。意識は常に電話に向いている。鳴らない電話は、鳴っている電話より腹立たしい。テレビから聞こえるコール音にどきりとしたり、風呂場やベランダでつい聞き耳を立てている自分にはもっと腹が立った。

やがて電話がコールし始めた。

友希子は恍惚とした思いで立ち尽くす。鳴り続くコールに、すでに相手を試そうとしている自分がいる。


夫の携帯電話の発信履歴を調べる気になったのは、ある意味で、決心の表れだったのかもしれない。今となれば、なぜもっと早くそうしなかったのだろうと思う。履歴は二十件までが残されていて、その中で七件が同じ番号だった。リダイヤルした。驚いたことに、相手は尚美ではなかった。友希子はぼんやりとその人の顔を思い浮かべた。

倉本のかつての妻は、友希子の顔を見たとたん表情を硬くした。どうして、と彼女の唇が動きだす前に、オフィスから少し離れた喫茶店で待っていることを告げて、背を向けた。十五分ほどして、彼女が姿を現した時には、もういつもの彼女らしい落ち着きと、ある意味での開き直りが見えていた。

「いつか、こんな日が来ると思っていました」

静かな口調で彼女は言った。

「伊島と何か約束でもなさっているのですか」

友希子は尋ねる。

「約束?」

「将来、一緒になるとか」

彼女は口元にうっすらと笑みを浮かべた。

「まさか。もう、結婚はこりごりですから」

馬鹿にされたような気がした。結婚という煩わしい部分はすべて友希子に押しつけて、自分は快楽という熟れた果実だけを口にしようというのか。

「伊島さんは、何て?」

「夫には黙って来ました」

「よかった、それが賢い方法だわ。彼の方もたぶん私と同じ気持ちだと思います」

そうして、彼女はおもねるように上目遣いに友希子を見た。

「ねえ友希子さん、気分が悪いのはよくわかります。私に対して怒りもあるでしょう。

でも、これはいわゆる大人のお付き合いなんです。あなたの家庭を壊そうなんて、少しも考えていません。だから、大目に見るっていうか、知らん顔しておくっていうか、結局はそれがいちばん賢い方法だと思うんです。あなたもずっと専業主婦をやっていらしたんでしょう、ここで短気を起こしても、きっと後悔するだけだわ」

この女は、私を見縊《みくび》っている。タカをくくっている。ひとりで生きられない女は口を出すなと言っている。

「もしかして、私たちのことを告げ口したのは倉本かしら」

唐突に言われて、友希子は顔を上げた。

「倉本さん、知っているんですか」

「すべてを知ったのは離婚した後だけど。彼、ひどくショックだったみたい。まだ私たちが結婚している時からなんて、想像していなかったでしょうから。まさか、その腹いせにあなたに何かするなんてことはないと思うけど、あの人、どこか執拗なところがあるから、少し気をつけた方がいいかもしれないわ」

「まさか」

「男なんて、みんな幼稚だもの」

なぜ、目の前の女はこんなにも勝ち誇った顔をしているのだろう。なぜ、うな垂れているのは自分なのだろう。

彼女は最後まで、夫と別れるとは言わなかった。けれど、それさえどうでもいいことのような気がした。ふたりが別れて、そして、自分たち夫婦は元通りになる、そんな図式はもう成り立たない。

「愛している」

倉本が言った。

「私もよ」

友希子は答えた。

「本当に？」

「もちろんよ」

「じゃあ、決心してくれたんだね」

「ええ」

「僕は仕事を辞めるつもりでいる。新潟に行きたいんだ。僕の故郷だ。両親も親戚もいないが、海が見えるいい場所だ。もう東京はいい、東京はうんざりだ。一緒に来てくれるね」

「行くわ、一緒に行くわ」

「嬉しいよ、これで僕も一からやり直せる」

「いつ？」

「いつでも。あなた次第だ」

「明日。それでもいい？」

「もちろんだ。あなたがそうしたいなら」

「だったら明日」

友希子は時間と場所を告げた。

「わかった。待っている。必ず来てくれるね」

「ええ、もちろんよ。必ず行くわ」

「愛してる」

「もう一度言って」

「何度でも言うよ。愛している」

翌朝、夫を送り出してから友希子は荷物をまとめた。ボストンバッグ一個に入るだけ、と決めると却《かえ》って気が楽になった。惜しいものなど何もなかった。こうしていると、本当はもうずっと前から、こんな日が来るのを待っていたような気がした。

駅は人で溢れていた。何度か人にぶつかって、そのたび「すみません」と謝った。

倉本が妻を寝取られた腹いせに、自分を誘い出そうというのなら、それでもいいと思っていた。倉本がいなければ、あの海の底のような生活から抜け出す決心はつかなかったろう。

上越新幹線の改札口の前に、倉本の姿を見つけて、友希子は足を止めた。彼はひどく不安気に、頼りなげに立ち尽くしていた。

「よかった、来てくれないかと思ってた」

倉本がほっとしたように表情を緩めて近づいて来る。

「これで、もう一度僕は人生を君と一緒にやり直せるんだね」

友希子は頷く。

「行こう。切符はもう買ってあるんだ」

倉本が、折れ曲がった乗車券を取り出した。

愛している、ただその言葉が欲しいがためにここに来た。たとえ間違える道であっても、もう一度、歩きだすのも悪くない。どうせ悔いる人生なら、差し出された手に委ねてしまうのも悪くない。どこでどんなふうに生きたって、それぞれに、きっと何かしらの意味はある。

友希子は切符を受け取った。それはたぶん長い時間、倉本に握り締められていたのだろう、汗で湿っていた。

友希子は腕を伸ばし、倉本のシャツの袖口をしっかりと摑んだ。

もう、私は共犯者だ。

偏　愛

A blind love

頬に冷たいものが当たり、私は夜空を見上げた。

分厚い雲が垂れ籠めているのが、夜の暗さの中でも感じ取れる。星どころか月さえも見えない。すぐに、路上に雨のシミが重なり始めた。往来を足早に人々が駆け抜けてゆく。タクシーに手を上げる人もいる。けれど私は慌てない。リュックの中から折畳みの傘を取り出し、レストラン・バーのドアに目をやる。

すでにここに立って一時間半が過ぎていた。常に人が流れている青山の街中で、道端とはいえひとりで佇《たたず》む姿はやはり不自然に映るのだろう。時折、怪訝《けげん》な視線を向けられた。けれど、誰に何と思われようと平気だった。行きずりにしかすぎない他人の目なんて気にしていたら、大事な時間が台無しにされてしまう。誰にも邪魔されたくない。だいいち、誰に迷惑かけているわけじゃない。

あと三十分くらいだろうか。いや、もう少しかかるかもしれない。

私は腕時計に目をやった。八時半を少し過ぎたところだ。今夜、彼はその店で友人たちとちょっとしたパーティをやっていた。それがお開きになれば、たぶん、小グループに分かれて二次会へと繰り出すことになるだろう。六本木ならTかJのどちらかのクラブ、恵比寿ならあの外国人が多いWというパブに決まっている。

雨がだんだん強くなってきた。パンプスは撥水加工が施してあるので心配ないが、パンツの裾が濡れるのはイヤだった。この間、同じように雨にたたられた時、縫い目の糸が縮んで元に戻すのに苦労した。私は場所を移動することにした。三軒ほど先のビルに庇《ひさし》を見つけ、そこに立った。店のドアは少し見えにくくなるが、気をつけていれば彼の姿を見逃すことはない。

雨は降り続ける。濡れた道路にネオンが滲んだ絵の具のように映っている。不意に、ぱったりと人の姿が途絶えた。

車も通らない。音もない。風もない。奇跡のような静寂。街が死ぬ一瞬。

私は息が苦しくなった。なぜ、こんなところに立っているのだろう、と考えそうになって、急に不安にかられた。彼を待つ。彼を見つめる。それだけのことだ。それだけでいい。それだけが私の愛の在り方だ。自分のしていることを否定したら、今の私は生きてゆけない。

九時半近くに、ようやく彼が三人の友人たちと姿を現した。私はすぐに身体《からだ》を隠し、こっそりと彼の様子を窺った。すぐ後から、ふたりの女の子たちが出て来た。一緒に出掛けるのだろう。ふたりとも髪が長くて、華奢《きゃしゃ》な肩とつるりとした足、ぱっちりした二重瞼の目と細い顎を持つ、まるで可愛がられることしか知らない室内犬みたいだった。何が可笑《おか》しいのか、きゃんきゃんと嬌声を上げている。

私は彼女たちみたいな女を好きにはなれないが、毛嫌いするつもりもなかった。種類の違う生き物についてとやかく言うことはできない、というような感覚だった。そして、彼には彼女たちのような女の子が似合っている、ということも理解しているつもりだった。

彼は雨の中を大通りに出て、タクシーを止めた。方向からいって、きっと恵比寿のあのパブに行くに違いない。雨をくぐりながら彼らは二台に分乗して、走り去ってゆく。そのテールランプが見えなくなるのを見届けてから、私は駅に向かって歩きだした。

私のアパートは中野にある。けれど、まったく違う方向に向かう電車に乗っている。降りる駅は彼の住む祐天寺だ。駅に着く頃には雨はもうやんでいた。改札口を出ると、いつものようにマクドナルドに入り、コーヒーを買って二階の窓際の席に腰を下ろした。ここから彼の通る道が見下ろせる。見つけたら、すぐに店を出て、後を追う。時計を見ると、あと三十分足らずでここは閉店になるが、そうなれば、彼のアパートの近くで帰りを待つだけだ。

結局、閉店時間まで彼の姿は見られず、私は彼のアパートに向かった。アパートは駅から徒歩十二分、商店街を抜けた住宅地にある。タイル張りのなかなか洒落たマンションだ。いったんエントランスの前を通り過ぎて、中に人がいないことを確認してから、後ろを振り返った。誰もいない。前を見た。いない。急いでエントランスに入り、並んだポストの303を開いた。ダイヤル式の鍵がついているのだが、面倒臭いのか、彼はかけておいたためしはない。だからこそ、私はこうやって、難なく郵便物を手にすることができるのだった。

大したものは入ってなかった。NTTの領収書とダイレクトメールが二通。すぐに元に戻して外に出た。それから今ではすっかり定位置になった、少し先の公園の生け垣の陰に立って、彼の帰りを待つことにした。今夜はきっと午前さまになるだろう。もしかしたら、女の子と一緒に帰って来るかもしれない。けれどもそれも仕方ない。

私は彼の姿を少しでも見られればそれでいい。

通行人が近づいて来た。私は生け垣に身を潜めた。ほとんど気づかれることはないが、見つかった時のために、いつも電源を切った携帯電話を手にしている。耳に当てて「ああ、そう、それで?」などと適当に相づちを打てば、そうは怪しまれない。通行人の姿が消えて、私は改めて彼の部屋の暗い窓に目を向けた。

こうして夜中に、彼の帰りを待つのは少しも苦痛ではなかった。それはすでに私の日課であり、習慣であり、生活の一部だった。むしろ、そうしなくなる毎日なんて考えられなかった。その方が怖くなってしまう。私はただ、あの暗い窓に灯りがともる一瞬さえ見られればそれでいい。

彼が帰って来たのは、そろそろ一時になりそうな時刻だった。最終電車だったのだろう。彼がひとりであることに、してもいない約束を守られたような嬉しさが込み上げた。今まで何度か、女と一緒に帰って来るのを見たことがある。そのたびに嫉妬に似た感覚が広がったが、どの女の子も彼が選んだのだと思えば憎まずにすんだ。

私は顔を上げて、彼の部屋の電気がつくのを待った。やがて窓は金色に輝き、彼のシルエットがブラインド越しにぼんやりと浮かんだ。

おやすみなさい。

小さく呟く。これで一日が終わった。終わることができたと思うと嬉しかった。


朝からトラブル続きでうんざりだった。

得意先から納品が違っているとのクレームがきて、調べてみると、去年入社したばかりの女の子の発送ミスだとわかった。すぐに謝りの電話を入れて、発送し直す手続きをとった。部長の居場所がつかめないと、男性社員が泣きついてきた。散々探し回って、やっとゴルフ場でつかまった。給湯室のコーヒーメーカーが壊れ、修理の業者がなかなか来なくて、何度も催促の電話をかけなければならなかった。

毎日、本来の仕事より、そういった雑事に追われることの方が多くなってしまう。すでに入社十二年、ベテランと呼ばれるようになった今はそれも仕方ないのかもしれないし、私自身、それなりに責任を持って対応しているつもりだ。けれども、年下の社員たちから頼りにされたり、上司から信頼されるということが、私の毎日の励みにはならなかった。彼らの期待に応えながらも、いつもサイズの違う服をむりやり着させられているような居心地の悪さを感じていた。

三十四歳になるまで、独身でいるなんて考えてもいなかった。多くの女性が辿る人生を、自分も辿るものだと信じて疑わなかった。野心もないし、自分を過大評価したつもりもない。理想が高いわけでも、極端な好みを持っているわけでもない。なのに、なぜこんなことになってしまったのだろう。

モテなかったわけじゃない。かつては結婚を申し込んでくれた男たちもいた。ただ、どうしても踏み切れなかった。早い話、好きになれない男と結婚したいとは思わなかった。

私の望みはひどくシンプルなものだ。本当に好きな男と結婚する。ただ、それだけのことだ。

なのに他人は「子供じみてる」と陰で笑い、家族は「我慢が足りない」と嘆いた。いっそのこと周りの圧力に屈して、誰でもいいからとっとと結婚してしまえればよかったのかもしれない。だが、その勇気が私にはなかった。そう、勇気だ。人は、いつまでもひとりの私に「勇気がある」と言うが、私にしたら好きでもない男と毎日を一緒に暮らし、キスをしてセックスをして子供を産むなんて、考えただけで身震いしてしまう。いつかきっと自分にふさわしい相手とめぐりあえる。たとえ子供じみていると笑われても、結局、そう信じるしかなかった。

それでも、会社で「処女ボケ」と呼ばれていることを知った時、身体が震えた。年をとって処女だから世間のことが何にもわからなくなっている、というのである。言った本人を知っていた。イヤな女だった。私は無視を通した。

彼は一年前、大阪支社から転勤してきた。今は輸入二課にいて、主に東南アジアとの食品の取引を担当している。彼の清潔そうな髪や、誰にでもわけへだてなく向けるほほ笑みや、社員食堂で見た食事の仕方や、電話の応対や、上司に叱られた時の仕草や、何気なくポケットから取り出すハンカチの色が、私にはひどく好ましく映った。

一度、残業でひどく帰りが遅くなった時、彼とエレベーターで一緒になったことがある。彼は私の顔を見ると、親しげにほほ笑んで、

「山下さんも残業ですか。ほんと、せっかくの金曜なのに参っちゃいますね」

と、声をかけてきた。彼が私の名前を知っていたことにびっくりした。もちろん、私たちは帰りに一緒に食事に行く、というようなことはなかったし、名前を知っていてくれたことぐらいで、「もしかしたら」などという愚かな自惚れを持つほど浅はかでもない。ただ、そのことがきっかけとなって私の好意が形を変えたのは確かだった。

彼は私を虜にした。私を夢中にした。私に毎日の張りというものを与えてくれた。

彼は私より六歳年下だが、たとえ十歳、二十歳下だったとしても、逆に年上だったとしても、同じだったろう。パソコンを使って人事課から彼の情報を得、後をこっそりと追うようになってからもう半年以上が過ぎている。習っていた英会話もワイン教室もやめてしまった。そんなところに通う閑《ひま》はなかった。私はほぼ毎日、彼を尾行するか、アパート近くの公園で待った。

その間に、私は彼のたくさんのことを知るようになった。彼の行きつけの店、立ち寄る本屋、気に入っている服のメーカー。前に何度か彼が夜中に出したゴミを持ち帰り、それで好きなカップ麺やいつも読んでいるスポーツ紙も知った。ふた月ほど前、郵便受けから母親の手紙を持ち出し、広島に祖父がいて腰の具合がかなり悪くなっているらしいということも知った。もちろん、手紙は慎重に封をして翌日には戻しておいた。何だかとてもいやらしいビデオの案内状が入っていた時だけは、捨ててしまった。

彼には、こんな私の思いなど想像も及ばないだろう。それでいい。私は何も求めない。何も必要ない。私は彼を愛しているだけだ。愛されなくても、愛していれば、それだけで私は生きてゆける。

日曜日、午前中に掃除や洗濯を済ましてしまうと、あとは何もすることがなくなって、結局、彼の住む祐天寺に向かった。

窓はぴたりと閉じられている。まだ寝ているのだろうか、それとも出掛けてしまったのだろうか。しばらくアパートの周りをうろついたが、窓が開く気配はない。仕方なく帰ることにしたものの、せめて郵便受けを覗いてみようと思った。そして中を見てびっくりした。部屋の鍵が入っていたからだ。

どうしようか迷った。鍵がここにあるということは、彼は部屋にいないに違いない。今なら部屋に入れる。入りたい。けれど、ここに鍵を入れておくぐらいだからそう遠出してはいないはずだ。途中で彼が帰って来たりしたらどうしよう。でも見たい。ちょっとでいい。彼がどんな部屋に住んでいるのか、どうしても見たい。

私は鍵を手にした。それから急いで三階にある彼の部屋に向かった。ノックする。返事はない。もう一度ノックする。やはりない。鍵穴に鍵を差し込む手が震える。彼に見つかったらすべておしまいだ。早くしなければ。早く、早く。彼が帰って来る。

ドアを開けて、素早く身を滑り込ませ、後ろ手で閉じ、部屋を見渡した。六畳ほどの広さのフローリングにロフトがついていた。低いキャンバス地のソファに木製の丸テーブル、床には雑誌が放り出してある。ジャージがソファの背にかかっていた。テレビにビデオにオーディオにパソコン。キッチンはあまり使ってないらしい。ビールの空き缶が四本置いてある。小さな冷蔵庫、その上に電子レンジ。壁にフックがあり、そこに昨日彼が着ていたスーツがハンガーにかかっている。食べかけのポテトチップスの袋。ゴミ箱に捨てられたティッシュ。ここが彼の住む部屋。ここで彼は食べて眠り、お風呂に入りトイレをつかう。ひとりの彼をいつも見つめている部屋。彼のすべてを知っている場所。そこに今、私はいる。

失禁しそうになった。それほどの恍惚だった。私は思わず両手でそこを押さえた。そうしなければ本当にもらしてしまいそうだった。

早く行かなければ、いつ彼が帰って来るかわからない。早く、早く。私は傾く自分の身体を必死に支えながら、部屋を出た。

ロッカー室で、彼が秘書課の二十四歳の女の子と噂になっているのを知った。

彼女は綺麗だ。感じもいい。学歴も家柄も悪くない。彼女のことを聞かされた時には、身体の奥に冷たいものが流れたが、嫉妬で髪を掻き毟《むし》るようなことはなかった。そういう時が来ることは最初から覚悟していたし、いつか誰かとそうなるのなら、私にとっても納得できる相手であって欲しいと思っていた。

憎かったけれども、仕方なかった。彼女は、仕方ないと私に思わせる相手だった。私にできることは、彼女と親しくなることだ。彼女のよき友人となって、尾行や郵便を盗み見したりする以上のことを、彼女から聞き出せるようになれば、もっと深く彼を知ることができる。

彼はどんなキスをするのだろう。どんなふうに下着に手をかけ、指を動かし、舌を使い、愛撫するのだろう。彼のペニスの形は？　彼の喘ぐ表情は？　知りたいことは山ほどある。

十一時半を回った。

まだ彼は帰って来ない。今夜はどこに出掛けているのだろう。そろそろ生理が近づいて、下腹に鈍い痛みが続いていた。せっかくここまで待ったのだから、灯りがともる窓に「おやすみ」を言ってから帰りたかったが、今夜は諦めるしかなさそうだ。

駅に向かって歩いて行くと、コンビニから出て来た男とぶつかりそうになった。瞬間、私は喉の奥で声を上げた。

「あれ、山下さん」

彼だった。

「どうしたんですか、こんなところで」

私は声が引っ繰り返りそうになるのをこらえながら、答えた。

「近くに友達が住んでるの。黒田《くろだ》くんこそ」

「僕、この商店街を抜けた先のアパートに住んでるんです」

「そうなの」

「いや、びっくりしちゃったな」

彼は笑う。何て無防備な笑顔なのだろう。彼は私のことを少しも疑ってない。疑おうともしない。つまり彼にとって、私はそういう範疇《はんちゅう》にさえ入らない存在ということだ。

「じゃあ、私」

「あ、どうも。それじゃ、おやすみなさい」

　彼が背を向ける。私は立ち止まって振り向いた。しかし、彼は決して振り返らない。私から目を逸らした瞬間、彼の意識の中からは私のことなどすっぽりと抜け落ちる。彼にとってそれだけの価値しかない女。半透明のコンビニの袋に、彼の好きなカップ麺のパッケージが透けていた。


　今日もまた、マクドナルドの二階席で彼の帰りを待っていた。あまりにも毎日のことで、店員たちの私を見る目に、すでに好奇と怯えのようなものが混ざっているのは感じていたが、無銭飲食をしているわけではないのだから気がつかないふりをした。

　今日も七時から待って、九時過ぎにようやく彼の姿を見つけることができた。しかし、彼はひとりではなかった。女と一緒だった。女ぐらいで驚くことはないと思いながら、皮膚の内側にひやりとした雫《しずく》のようなものが伝い落ちた。その女は、噂の秘書課の子ではなく、八木という総務の女だったからだ。

　私は慌ててマクドナルドを飛び出し、後を追った。そんなはずはない、と、混乱していた。たまたま電車で会ったに違いない。彼女もこっち方面で、方向が同じだっただけだ。

しかし、そうではなかった。彼女は躊躇《ちゅうちょ》なく、彼と並んで部屋へ続く階段を昇っていった。私は窓が見える公園へと走った。灯りがともる。目を凝らす。そして三十分後、灯りは消えた。

「どうして」

言葉が口からもれていた。

彼女は、私よりひとつ年上だった。若い頃に結婚して、子供がひとりできてからじきに離婚した。肩から落ちたブラの肩紐を、人前でもブラウスに手を突っ込んで平気で直すような女だった。社員食堂ではいつも女性週刊誌を熱心に読み、ずりずりとだらしなくサンダルを引きずりながら歩いている。

「どうしてあんな女と」

暗くなった窓を、私は長い間、見つめ続けた。

身体がだるい。熱っぽい。昨夜から始まった生理のせいだ。今回は特に重い。不快感が腰の辺りにべったりとまとわりついている。

コピー用紙が切れたのを、誰かに頼もうと思っても、こんな時に限って席に誰もいない。急ぐコピーだった。仕方なく、総務の備品室へ出向いた。

地下一階にそれはある。伝票を渡すと、係の社員から面倒臭そうに、自分で取りに行くよう言われた。

「奥の棚の二段目だから」

そっちの仕事だ、と思う。しかしこの部署は、定年間近かリストラにかかった社員しかいなくて、彼らが年上だということもあって、誰も文句は言えないのだった。

仕方なく台車を押しながら、B4とA5の用紙を探して、私は倉庫の奥へと入って行った。どうやら私と同じ目に遭わされている社員がいるらしい。彼女は脚立《きゃたつ》に乗って棚の上段で何やら探し物をしている。ふと、見覚えのあるサンダルが目に入った。

私はゆっくり顔を上げた。

彼女は高い場所からちらりと私に視線を向けたが、すぐ興味なさそうに元に戻した。

ぽってりと脂肪のついた白いふくらはぎが目の前にある。顔を上げるとスカートの奥まで見えそうだった。そこからひどく猥雑な匂いが下りてきそうで、私は思わず顔をしかめた。

彼女の横を通り過ぎ、コピー用紙が並んだ棚へと近づいた。

本当にあの女と。

私は唇を嚙んだ。秘書課の彼女なら許せる。いつぞやのパーティの女の子でもいい。私よりずっと若くて、美しくて、少し頭が足りなくても、子供ふたりは産めそうで、何より、彼と並んだ時に、彼のイメージを少しもそこなうことのない女なら。

それはあの女じゃない。あんな女を彼の隣の席になんかに座らせられない。私より年上で、離婚歴のある子持ちで、したたかで、男好きで、私のことを「処女ボケ」と呼んでいるあんな女なんか。

いなくなればいい。

私はゆっくりと振り返った。思いつくと、それはとてつもなく簡単で明快な答えのような気がして、私はついほほ笑んだ。幸運なことに、ここは死角になっていて、誰の目も届かない。

私はいったん手にしたコピー用紙を再び棚に戻し、台車の取っ手をしっかりと握り締めた。

それから息をひとつ吐き出し、脚立に向かって勢いよく走りだした。

霧の海

A foggy ocean

画廊は、青山に近い外苑西通り沿いの古びたビルの一階にあった。

どう見ても一流とは言えず、定年退職後の老人が、趣味で始めた陶芸の作品などが並びそうな場所だった。ドアの前に、野草のような花を組み合わせた花籠がひとつ置いてあり、そのセンスのよさがいくらか洒落た雰囲気を漂わせていた。カードに『祝香山典夫様』と書かれてある。三日前から、この画廊で典夫《のりお》の五年ぶりの個展が開かれていた。

久仁子《くにこ》はドアを押して、中に入った。数人の客がいたが、そこに典夫の姿を確かめる前に、すぐ左手のデスクに置いてあるノートに自分の名を記帳した。

「やあ、来てくれたんだ」

その声に顔を向けると、初めて会った頃と変わらぬ善良そうな笑みで典夫が立っていた。

「招待状、ありがとう。友田《ともだ》はちょっと仕事が入っちゃったの。ごめんなさい」

「いいよ、気にしないでくれ。こんな小さな個展だから、わざわざふたりに足を運んでもらうのもどうかと思ってたんだ。でも、何しろ五年ぶりだからさ、とりあえず報せるだけでも報せておこうと」

「ゆっくり見させてもらうわ」

久仁子は入り口にいちばん近い絵の前に立った。

相変わらず淡い色合いの人物像である。モデルの対象はさまざまで、子供もいれば老人もいる。女性が多いが裸婦はない。

人物画は、決して人気がないわけではないが、大家でなければそう売れるものでもない。いつまでたっても人物画ばかりを描き続ける典夫に、何度か静物画や風景画を勧めたこともある。その方がずっと買い手がつきやすいからだ。彼はその時は「考えておくよ」と言っておきながら、結局、同じような絵ばかり描くのだった。だから、今でも間借りの小さなアトリエしか持てず、画壇の評価や賞からも見放されている。

確かに、典夫の描く人物の表情や動作は、見る側をほっとさせるような温かさがある。しかし、それは典夫という人間性を伝えることはできても、絵画としての価値からすると難しい。絵は商品だ。芸術はその遥か向こうに存在する。

特徴と言えば、人物の背景にいつも植物を置くことだろう。花の時もあれば、森や林のこともある。その描き方もまた美大時代から少しも変わっていない。

相変わらずね……胸の中で呟いたつもりだったが、その言葉は実際に口からこぼれていたらしい。

「きついね」

背後の典夫が苦笑を交えて言った。

「聞こえた？」

「しっかり」

「いつまで、このスタイルを押し通すの？」

「僕が絵を描き続ける限り」

「そうして、永遠に表舞台に出て来ないつもりなのね」

「表舞台なんてものがどこにあるか知らないけど、自分としては裏にいるつもりはないよ」

「自信があるってこと？」

「自信と言えばそうなるのかもしれない。ただ、売れるとか売れないとか、評価されないんだ」

「それには同感だ」

久仁子は次の絵の前に立った。白いワンピースを着た少女が膝に顔を埋めて座り込んでいる。人物より、その背景に見入った。

「八ケ岳の森だ。覚えてるかな、ほら、学生の頃みんなで遊びに行ったろう、八ケ岳の貸し別荘に」

「ええ、そんなこともあったわね」

久仁子は曖昧に答えたが、もちろんそのことは今も鮮やかに覚えている。もう十年以上も前の話だ。まだ夏と呼ぶには早い季節、仲間たち十人ほどで八ケ岳の山麓に行った。

せっかく意気込んで出掛けたのに、中央自動車道を走る途中から小雨がぱらつき、長坂インターを下りた時には辺りはすっかり鈍色《にびいろ》に包まれていた。八ケ岳もまったく見えず、誰もが残念がってため息をもらした。夕食の少し前、雨はようやく霧に変わった。別荘を囲む落葉松《からまつ》林が、象牙色の柔らかな霧に包まれてゆくのを、久仁子はテラスから官能的な思いで眺めていた。やがて、誘われるように濡れた草を踏んで森に入った。

そのことを思い出すと、今も臍《ほぞ》を噬《か》む。どうして気紛れにひとりで散歩になど出掛けたのだろう。あのままテラスにいれば、何も見ずにすんだのに。そうしたら、埒もない思いに突き動かされることもなかったのに。

「友田は元気？」

「おかげさまで」

「あいつの活躍ぶりは聞いてるよ。彼に酷評された画家がキャンバスナイフを持って押し掛けたって話は本当？」

「まさか。ちょっと玄関先で大声を出しただけよ」

「目が確かな分、友田は容赦ないからな」

「正直なだけ。あの人は、お世辞ってものが言えないから」

夫の友田には、学生時代からプロポーズされていた。そのことは、周りの友人たちもみんな知っていた。何しろ、友田は気持ちを隠すことができない人種で、そばに誰がいようと思ったことを口にするのだった。そのノリの軽さに初めは冗談だと思っていたが、友田は本気だった。もちろん答えは「ノー」だ。久仁子にとって友田はよき友人には違いなかったが、心をうわの空にさせるような存在ではなかった。それでも友田は諦めなかった。時間がたてば、他に女もできるだろうと踏んでいたが、そんな傾向はまるで見えないまま十年が過ぎた。久仁子自身、彼の思いがこれほどまで継続する理由がよくわからなかった。

なぜ、私なの？

尋ねた時、友田は臆面もなく言った。

運命だからさ。

友田は図太く、ある意味で無垢な男だった。いったい何度プロポーズされただろう。会うたび彼は言うのだった。

それで、いつ結婚してくれる？

よく晴れた日、彼に誘われて出掛けた横浜で、目に痛いくらい空が青く澄み切っているのを眺めていると、急に切なくなった。それは久仁子の孤独を色濃く浮かび上がらせた。ふっと「いいわ」と答えていた。

「えっ、今、何て言った？」

友田がびっくりしたように振り向いた。

「いいわ、結婚してあげる」


「幸せ？」

「ええ、おかげさまで」

「ちょっと驚いたけどね、結婚したことを聞いた時は」

「そう？」

「もしかしたら、君は誰とも結婚しないいんじゃないかって思ってたから」

「どうして？」

「何となく、そう感じただけさ」

十二点の作品をすべて見終わった頃、客は久仁子ひとりになった。タイミングを計ったように、典夫の妻の安美《やすみ》が姿を現した。

「久仁子、久しぶり。来てくれたのね、嬉しいわ」

安美はほとんど化粧気のない顔をくしゃくしゃと崩して、久仁子のそばに駆け寄った。彼女もまた、学生時代の仲間のひとりだ。そっけないくらいシンプルな白いシャツとネイビーブルーのコットンパンツ。美人ではないが、どこか人を和ませる力を持っていて、それは典夫の絵と共通していた。安美は学生時代から、誰からも愛され信頼されていた。もちろん、久仁子もそのひとりだ。

「元気そうね、安心したわ。もう大丈夫なの？」

「ええ、何とか。ここの機械が正常に動いてくれる限りは」

安美は自分の胸を指差してほほ笑んだ。彼女の心臓は一年前に壊れかけ、今ではペースメーカーという小さな電気仕掛けの機械がないと、正常な鼓動を続けられないのだった。

安美と久仁子は性格的に正反対だ。久仁子は、自分が女たちから敬遠されるタイプであることを小さい時から知っていた。生意気だとか、傲慢だとか、名前の上にそういった形容詞が飾られて、陰でいろんなことを噂されているのも耳に入っていた。だったらそれでいい、と久仁子も決して女たちにへつらうようなことはしなかった。

どういうわけか、小さい時から女が苦手だった。鬱陶《うっとう》しくて、煩わしい存在だった。男たちと一緒の方がずっと気が休まった。噂や評判を気に病んで、付き合いのいい女に変身し、彼女たちと和気藹々《わきあいあい》と過ごすつもりなど毛頭なかった。

安美と出会った時のことは今も覚えている。出たくもないコンパに強引に出席させられて、飲みたくもないお酒を散々飲まされた。あまり体調がよくなかった久仁子は、いつになく悪酔いして、急に胃がせり上がってくるような吐き気に襲われた。洗面所に行かなければ、と席を立って廊下に出たが、我慢できず、それはもう喉元まで迫っていた。こんなところでもし吐いたらと、その恥ずかしさと苦しさにしゃがみ込むと、目の前に手が差し出された。

いいから、ここに吐いて。

顔を上げると安美がいた。久仁子はその手の中に嘔吐した。

安美はいつも凪《なぎ》を迎えた海のようだった。彼女は深くて静かで温かかった。一緒にいると、久仁子までも不思議なくらい優しい気持ちになれた。安美が好きだった。たったひとりの信用できる友人だった。

「久仁子ったら、結婚して綺麗になったみたい」

「よしてよ」

「でも、よかった」

「何が？」

「いつまでもひとりでいるのは、ちょっと心配だったの」

「おかげさまで、ようやく何とか」

「友田くんの粘りがちね」

安美が目を細める。彼女のその表情を見るといつも安らぐ。

「ねえ、まだ時間ある？　せっかく会えたんだから、もう少しお喋りがしたいわ」

「もちろん、いいわよ」

「よかった。だったら、この先に素敵なレストラン・バーがあるの。そこで待っていてくれないかしら。もうお客も来ないだろうし、ここの後片付けをして、私もすぐ行くから」

それから安美は振り返り「あなたも久仁子と一緒に先に行ってて」と典夫に声をかけた。

「ひとりで大丈夫かい？」

「平気よ、これくらい」

「じゃあ、待ってるよ」

「三十分で行くわ」

スリッポンの靴の下で、濡れた草がきゅっと音を立てた。チノパンから覗くくるぶしに、心地よく雨の雫《しずく》がかかる。久仁子はゆっくりと落葉松林の中を歩いて行った。霧はある種の質感を持ってまとわりついてくる。それは馴《な》染《じ》んだトワレのように久仁子を落ち着かせる。やがて、それも薄れて、徐々に視界が開けてきた。落葉松の幹がすっくりと天に伸びているのが見えてくる。その時、無彩色の風景の中に、鮮やかな赤が浮かび上がった。すぐには何かわからなかった。久仁子は足を止め、目を細めた。重なるふたつの影があった。目についた赤い色はカーディガンだった。それはついさっき久仁子が安美に貸したものだった。

久仁子は立ち尽くした。たぶん、ほんの二、三秒のことだったろう。それでもひどく長い時間のように感じられて、慌てて後退《あとずさ》りした。ふたりに背を向けて、霧の海を夢中で泳ぐように来た道を戻りながら、久仁子は思いがけないほど心臓が激しく鳴り続けているのを感じていた。

別荘に戻ると、友田が心配そうにテラスで待っていた。

「どこ行ってたの」

「ちょっと散歩してたの」

「顔色が悪いよ」

「何でもないわ、大丈夫」

自分がなぜこんなに動揺しているのかわからなかった。ただ、身体《からだ》の奥深くで何かがぐらぐら揺れていた。大きく息を吸い込まなければ、溺れてしまいそうなくらい息苦しかった。

今になってわかる。あの瞬間、自分は気づいてしまったのだ。その時までひたすら胸の底に追いやっていたものを、目の前に突きつけられてしまったのだ。

しかし、そのことに気づいても久仁子は自分がどうすればいいのかわからなかった。できることと言えば、何事もなかったように振る舞うだけだ。

典夫と一緒に暮らし始めたと、安美の口から聞かされたのは、それからすぐのことだ。

「絵は売れたの？」

交差点で信号が赤に変わり、立ち止まりがてら久仁子は典夫に尋ねた。

「一枚」

「よかったじゃない。どんなお客？」

「あの画廊のオーナーだよ。あんまり売れないんで気の毒がって買ってくれたんだ」

それをいかにも楽しそうに言う。

「呆れたわ」

「そう言うと思った」

典夫が無邪気に笑う。

「本当にそれでいいの？」

「何が？」

「生活できるの？」

「ふたりが食うぐらいは何とかなる」

「あなたはそれでいいかもしれないけど、安美はどうなのかしら。今も挿し絵の仕事をしているんでしょう。身体、大丈夫なの」

「大丈夫だと、本人は言ってる。それに、僕が好きに生きてるのを見るのが、安美は好きだと言ってくれている」

「それは、それは」

軽く受け流しながら、胃の裏側辺りにきゅっと収縮するような痛みがある。

信号が青になった。ふたりはゼブラ模様を渡り始めた。

「実は子供の絵画教室の先生の口があるんだけど、やってみる気はないかしら。その気があるなら紹介するけど」

「ありがとう。でも、遠慮しておく」

あっさりと典夫は答えた。

「どうして」

「子供は苦手なんだ」

「じゃあ、カルチャー教室は？」

「大人はもっと苦手だ」

「だったら、肖像画を描くっていうのはどう？　そういうのを部屋に飾りたいお金持ちはたくさんいるわ。かなりの収入になるはずよ」

「僕にそんなことがやれるくらいなら、もうとっくにやってるよ」

久仁子は足を止めた。典夫の正直さに少し腹を立てていた。

「そういうの、単なる子供っぽさじゃないの。意地を張ってるとしか思えない」

「たぶんそうだと思うよ。でも、それを押し通す生き方があってもいいと思ってる。僕の人生だ」

「あなたと、安美の、でしょう」

「安美は不満は言ってない」

「言ってないってことは、思ってないってことと違うわ」

典夫が困ったようにいくらか眉をひそめた。

「何だか、僕たちをトラブらせようと挑発しているみたいだね」

「そんなわけじゃないけど」

「けど?」

「だったら言うわ。別々に暮らせば、もっと自由になれるってこともあるんじゃないかと、思ってるのは確か。安美だって、実家に戻ればもっと裕福に暮らせるわ」

「考えたこともないよ、そんなこと。もちろん安美もだ」

あっさりと典夫は言った。少しの間、久仁子は口ごもり、もう一度顔を向けた。

「もし、よければ」

「なに？」

「うちに来たら」

典夫が振り返る。

「うちって？」

「友田のところによ。彼の元にはたくさんの人が来るわ、評価を得にね。あなたもそうすればいいじゃない。友達なんだもの、友田だって悪いようにはしないわ。そうしたら状況が変わるかもしれない。少なくとも、個展を開いても、買い手が画廊のオーナーひとりなんてことはなくなるはずよ」

典夫の目が暗く沈んだのは、夜が深まったせいばかりではなかった。

「君は好意で言ってくれているのかもしれないけど、それが画家のプライドをどれほど傷つけているか、わからないはずはないと思う。それに、友田にも失礼だ」

久仁子は口を噤《つぐ》んだ。

「悪かったわ」

「僕たちのことは僕たちで何とかする。気にしてくれていることには感謝するけど、このままにしておいてくれないか」

それから、典夫は穏やかな口調で付け加えた。

「君には悪いけど、何があっても、安美は渡せないんだ」

その言葉に胸を衝かれて、久仁子の表情が強ばった。

「どういう意味かしら」

言った自分の声がかすかに震えている。

「わかってる、君が安美に特別な気持ちを抱いてるということは」

指先が冷たくなってゆく。

「確かに、安美のパートナーとして、僕じゃ不満かもしれない。彼女の心臓のこともあるし、心配なのもよくわかる。でも、僕なりに安美を幸せにする。だから、彼女のことは僕に任せておいてくれないか」

夜の華やかな明かりが店々から漏れて、足元を鮮やかに彩っている。それでも、久仁子は暗やみを歩いているような気持ちになった。

「知ってたの？」

「ああ」

「いつから？」

「さあ、いつからだろう。正直言うと、最初は僕に気があるんじゃないかと思ったこともある。とんだ自惚れだったけどね。君が安美を見る時、僕と同じ目をしていることに、ある日突然、気がついた」

「そう」

「ちょっとびっくりしたけど、だとすれば、君のいろんな行動も理解できた。女の子たちとどうしてあれほど馴染もうとしないのか、男たちと気楽に騒いでもどうして男と女としては付き合おうとしないのか」

誰にも知られてはいけないと、胸の奥底に沈めてきた。それでも、自分でも気づかぬうちに、溢れる思いはこぼれ落ちてしまうのだろう。ましてや、典夫とは同じ人を愛する立場だ。

「安美はそのこと」

「もちろん、知らない。君のことを今もいちばん大切な友達だと思っている」

「ありがとう」

「友田とは、うまくいってるのか」

「今はね」

「友田は、君を本当に愛してるよ」

「わかってるわ、誰よりも。そのことに後ろめたさも感じてる。たぶん、あの人もいつかは本当のことを感じ取る時が来るでしょう。その時は、すべてをあの人の判断に任せるつもり」

「そうか」

目的のレストラン・バーに到着した。ドアに手をかける典夫を久仁子は制した。

「悪いけど」

怪訝《けげん》な眼差しを典夫が向ける。

「どうした」

「今夜は帰るわ。安美にはうまく言い訳をしておいて」

「引き止めるのは迷惑かな。安美が残念がる」

「元気で、と伝えて。身体には十分気をつけてと」

「ああ、わかった」

「さよなら」

久仁子は背を向けて歩き始めた。霧が流れて、波のように足元にひたひたと打ち寄せる。それが錯覚だとわかっていても、果てしない霧の海に漕ぎ出すように、久仁子はゆっくりと息を吐き出した。

朝な夕な

In the morning and at night

恋は狂うことだと、知っていた。

知っていて、狂った。

五感はいつも、彼のためにすぐ反応できるようスタンバイしていて、それだけで疲れ果てた。予定はすべて彼だけのために埋まり、ほとんど毎日のように落ち合い愛し合った。それでも不思議なことに肌はふっくらとし、唇は潤っていた。生理の期間がもどかしく、彼を受け入れられない一週間を恨んだ。私の身体《からだ》の細胞のどれひとつとっても、彼の存在がなければ生きてゆけない。友人が悩みを抱えていようが、両親の身体の具合が悪くなろうが、政治が腐敗にまみれようが、環境が汚染されようが、世の中のどこで戦争が起きようが、たくさんの子供が飢餓で苦しんでいようが、自分には関係ない。私はただ彼だけを見つめ、求めた。

愛《いと》しいというなら、彼の何もかもが愛しい。顔も声も身体も匂いも仕草も、爪の形も剃り残した髭も。ベッドに残る彼の抜け落ちた髪を捨てることさえためらわれた。

愛しいということは、汚いという感覚を失うことだ。私は彼の身体から流れ出るすべてのものを、舌ですくいとることができる。平気なのではなく、そうしたいのだ。それから、舌ではすくいとれない彼の身体の中にあるすべてのものを焦《じ》れったく思う。私は自分が微生物になって、彼の身体の奥深くに辿り着きたいと願った。そうしてそこに私以外の何かがあるなら、みんな食い千切ってしまいたかった。

私と彼にとって、セックスを抜かすことはできない。セックスが終わった瞬間、次のセックスのための前戯が始まっているような毎日だった。彼とのセックスに私はいつも眩《くら》むように果てたが、満足してはいなかった。これでいいというものがなく、欲情は果てしなく募り、もっともっと、と私は無言で叫んでしまう。

私たちはどこに行くのか。どこまで行けば辿り着くのか。辿り着く場所はどこなのか。そして、辿り着いてどうなるのか。不安と恍惚に揺れながら、私たちはただひたすら愛し合った。

狂った後に待っているのが、憎しみだということを知らなかった。

知らなかったが、容赦なくそれはやってきた。

それまで、彼にとって、私という存在がすべてにおいて優位を占めているということは実感していた。彼はいつも十メートルはゆうに離れたデスクから、何人もの危険な傍観者たちを擦り抜けて、いや私の制服さえ擦り抜けて、私をもどかしげに見つめた。仕事の間中、何度も私たちは視線で愛撫しあった。それは数秒、時には一瞬だったが、私はその時、彼とベッドの中で今まで行なってきたありとあらゆる恥ずかしいことを思い出して、同僚たちに気づかれないよう熱く湿った息を吐き出さねばならなかった。

彼がふたりの時間の中に、徐々に仕事を入れるようになったのは仕方ない。付き合いがあるのも認めざるをえない。彼には会社での立場も地位もあり、同じ職場にいる私はそのことをよく理解していたし、そうやって働く姿も含めて愛していた。何より、会えないことを、彼がつらく思っているとわかっていたから、ひとりで過ごさなければならない週末も我慢できるのだった。私だけ寂しいのはいやだ。けれど、彼がもっと寂しいと思っているなら許せる。その点で、私は彼にとってとても聞き分けのいい恋人だと思う。

けれども、優先順位を彼の家族の後ろに回されるのは許せなかった。それは明らかに裏切りだ。
最初に別れを切り出したのはそれが原因だった。付き合い始めて一年が過ぎた頃だ。
「もう終わりにしたいの」
よく通っていた西麻布のバーの奥まった席でそう言った時、まだいくらも酔ってい
ない支倉《はせくら》は、スコッチの水割りのグラスを握り締めながら、ひどく不機嫌な顔で押し
黙った。
「先のない恋愛なんかしていても仕方ないでしょう」
二十三歳だった私は、散々考えてこのセリフを口にしたつもりだったが、言葉にな
ったとたん、ひどく陳腐であることに気づいて、唇を嚙んだ。
「結婚できなければ、それは全部、仕方のない恋愛か」
支倉は声を押し殺すように言った。
「結果的に結婚できなくてもいいの。でも、結婚できる可能性が最初からなければ、
それはやっぱり先のない恋愛でしょう」
私は酔っていた。マルガリータにではない。死ぬほど好きな男に別れを口にすると
いう自分に酔っていた。

支倉は私より十七歳年上だが、くたびれた感じはしない。だから彼に年齢を感じるようなことはなかったが、私は自分の若さを意識するようになった。それまで、私はいつも自分より若い女たちを基準にしていたので、自分を若いなどと思ったことがなかった。たぶん、若さはあまりにも当たり前のように私の肌や表情を彩っていて、それを今さら、価値のあるものかどうかなどと考えること自体、無意味だったのだろう。自分の若さを意識し始めた時、なぜ私が彼の妻に勝てないのかわからなくなった。その上、彼は私を愛している。まだ小学生のふたりの子供たちがネックになっているらしいが、そういった状況でも離婚した男は、探せばゴマンといる。他の男にはできて、支倉にできないのはなぜなのだろう。責任というなら、私に対する責任はどう考えているのか。彼は本当に私を愛しているのか。疑惑は私を徐々に憎しみへと追い詰める。

「なぜ、そんなことを急に言い出すんだ」

「この間の休暇、家族旅行だったんですってね」

先週末、ランチを終えた後の洗面所で、庶務係の女の子が何気なく口にした情報は、私をひどく傷つけた。

「支倉課長、家族でサイパンだって。ああ見えて家では結構いいお父さんなのね」

それを聞いた時、何も知らずにいた私は身体中から細かい針が突き出るみたいに皮膚がささくれだった。木曜日から火曜日までの六日間の休暇のことを、彼は私に「上司が夏休みを取らないと、部下が取りにくいからね」と何気なく言ったのだ。

「その間に、少し出掛けると言ったはずだ」

「でも、家族でサイパンなんて聞いてないわ」

「君に気分の悪い思いをさせたくなかった」

「後で聞いた方が、もっと気分が悪くなるわ」

彼が私をごまかしたことは、もちろん腹立たしかったが、それを完璧にやり遂げられず、庶務の女の子に知られ、それが私の耳に入ってしまった彼の迂闊《うかつ》さを憎んだ。細心の注意を払わない行為は、私をどこかでないがしろにしているように思われてならなかった。

「悪かった。余計な気を回さずに、最初に言えばよかった」

「楽しかった、サイパン？」

「皮肉らないでくれ。子供にせがまれて仕方なかったんだ。夏休み、まだどこにも連れて行ってなかったからね。その前の春休みも、いや、その前の冬休みも、ずっとだ」

私に遠慮したというのか。恩着せがましく聞こえるのは僻《ひが》みだろうか。

「いいわね、子供ってすべての言い訳になって」

自分の言葉に含まれる棘《とげ》で、私はまず自分自身が傷つかなければならなかった。支倉は口を噤《つぐ》む。答えないことが得策だと思い込んでいる。それがいっそう私の神経を逆撫でる。

「あなた、ちゃんと幸せな家族をやってるんじゃない。だったら、それでいいじゃない。他に何もいらないじゃない」

彼はスコッチを飲み続ける。

父親である彼のことを非難しているのではなかった。私は彼の子供を、少なくとも支倉に似て可愛らしくあってくれればいいのに、と思うくらいの思いやりは持っていた。まだ見たこともないが、四人で一緒に暮らす想像をしたこともある。私が聞きたかったのは、別のことだ。南洋の白く崩れる波の音を聞きながら、妻と愛し合ったかということ。しかし、それは聞けない。聞いたってどうせ否定の言葉が返ってくるに決まっている。人は生まれながらに嘘つきという罪を背負っていることぐらい、私も知るようになっていた。

「何か言って」

私は彼に非難の目を向けながら、返る言葉を待った。その時、私はまだ、自分が本当は彼の言い訳に屈したいと望んでいる、ということに気づいていなかった。本気で別れる気なら、男に言葉を求めたりしない。黙って席を立てばいいだけのことだ。

支倉がグラスを置いた。

「僕には何も言う資格はないよ。選択権は君にある。君が別れるというなら、残念だが、そうするしかない」

「ずるいわ」

私の声が気弱になる。

「別れたいならそう言って。あなたが別れたいというなら、私はその通りにするから」

私はすでに涙ぐんでいた。私が別れたいと望んだのは嘘じゃない。けれども、もし、すぐにその望みを支倉に受け入れられたら、私は立ち直れないほど傷つかなければならなかったろう。私は、私を説得して欲しかった。別れないでくれ、と私の手を取り、ひざまずいて欲しかった。強引に私をさらって、足を広げさせて欲しかった。欲しい、欲しい。私は欲しいということしか知らない女になっていた。そしてそのことは、私より支倉の方がずっと知っていて、彼は席を立つと、本当に私をさらい、私の望む通りのことをしてくれた。

次第に、私たちはセックスに深く溺れるようになっていった。

出会った頃の物珍しさや好奇心が消えると、却《かえ》って私のヴァギナと彼のペニスはしっくりと溶け合い、まるでぴたりとはまるパズルのピースのようだった。ベッドの上で、してはいけないことなど、私たちには何もない。羞恥を捨てて、自我を捨てて、性器が擦り切れるほど愛し合った。

けれども、私は支倉とベッドの上で快楽を分かち合い、日毎に、それが深まることを実感しながらも時折、彼の死を想像している自分に気づいて驚いた。

彼がいなければ生きてゆけない。それと同時に、彼さえいなければ自由になれる。そんな相反する思いが私を惑わした。彼が私から離れ、何事もなかったように家庭に戻ったり、オフィスで視線を素通りさせたり、どこかの女と甘い時間を持つようなことを想像しただけで、私は吐き気をもよおすほど憎しみを覚えた。この恋を終わらすことなどとうていできない。そうできるのは、彼が死ぬ時だけだ。そうしたら、私は不幸を思う存分味わいながらも、肩の荷を下ろせる。愛おしい男、あまりに愛おしい。だから、死ねばいい。


驚いたことに、憎しみの後には執着がとりついた。

驚きながら、私はそれを拒むことができなかった。

私が再び別れ話を持ち出したのは、さらに二年が過ぎた頃だ。

二十五歳になった私は、何人かの友人にライスシャワーを浴びせたり、新しい土地に旅立つのを見送ったり、思いがけない仕事につく姿を見せつけられたりして、自分の安定した居場所を強く望むようになっていた。そして、その分、支倉に執着した。

それなのに、彼は私との時間というものを、いつの間にか自分の生活の中に無理なく取り込んでいた。逢瀬にペースというものが生まれて、ふたりの関係は日常の中に当たり前のように埋没してゆく。

「別れたいの」

私の別れの言葉に、彼はいつものように焦点をぼかしながら質問で返した。

「何があった？」

「何も。何もないから、別れたいの」

私は静かな口調だったと思う。

「何があればいい？」

彼が尋ねる。結婚、という言葉を口にするのは、ひどく恥ずかしいことのように思えて、私は口を噤んだ。私にはまだ面倒なことに自尊心というものが残っているらしかった。

「わからないわ」

「君にわからないものを、僕がどうすればいい」

「ねえ、どうして別れようとしないの？　私なんていなくてもあなたは何も困らないじゃない。このまま続ければ、きっと面倒なことになる。あなたはそれがわかっているはずでしょう」

「僕は手の内をみんなさらしている。僕には家庭があり、仕事での立場がある。それはどうしようもない事実だ。そんな僕に付き合ってくれている君には申し訳ないと思っている。それでもできたらそばにいて欲しい」

「あなたは自分の都合をみんな私に押しつけているのよ。自分ができないことを先に並べて、それ以外なら何でも叶えてくれると言っているけど、それを世の中では身勝手と呼ぶの」

彼は視線を膝に落として呟いた。

「すまない」

「謝らないで。私はただ知りたいの。私ではなく、あなたがどうしたいのか」

「もう少し時間が欲しい。せめて、子供に手がかからなくなるまで」

「そうしたら？」

「君と結婚したい」

支倉の思い詰めたような表情とは対照的に、私はふと的外れのジョークを聞いたような気がした。それは出会ってから何度も繰り返されてきた約束事だった。その期限はいつだって、気の遠くなるような曖昧さだ。それに逡巡しながらも、勝手な思い込みでそのままに受けとめてきた私も私だった。今夜こそははっきりさせたい。野暮でも不粋でも、具体的な数字を聞きたい。

「手がかからなくなる時っていつ？　下の子が小学校を卒業した時？　中学を卒業した時？　高校かしら？　それとも大学？　もしかしたら就職して自活できるようになった時？　ううん、結婚したら？」

支倉は頬を引き締めて、いつものように本当に私が聞きたいことにはいっさい答えず、言った。

「すまない」

「謝らないでって言ってるわ」

責めるのはいつも私で、謝るのはいつも彼だ。まるで私が加害者で被害者は彼のようだ。私はひとつ濁ったため息をついた。

「お願いがあるの。あなたを恨ませて。最低な男だと思わせて。僕は家庭が大事で、君のことなんか単なる浮気で、これで別れられるならせいせいするって、それくらいのこと言って。嘘でも本当でも、そんなことどっちでもいい、憎まれ役に徹して、私を突き放して」

「そんなこと、できない」

「できなくても、そうして。いい人になんかならないで」

私は言葉を尽くして、彼を傷つける。そして痛感する。私は彼をこれほど罵倒するくらい執着している。彼なしで暮らす毎日を生きてゆく自信はない。

恋が孤独に行き着くとは考えてもいなかった。

考えてもいなかったが、孤独はいつの間にか私の背にぴたりと張りついていた。別れのチャンスは何度もあった。そのチャンスを棒に振って、支倉への思いをうんざりするくらい堂々めぐりさせているのは誰でもなく私自身だった。

そうして、私は孤独を知るようになった。どこにいても、何をしていても、ひとりであることを身体の奥深くで鈍い痛みのように感じるようになっていた。同僚たちと賑やかなランチをしていても、友人たちと華やかな夜を過ごしても、好意を寄せてくれている男と薄暗い照明のバーにいても、時にその男と寝ても、私はやはりひとりなのだった。

私はやがて、少しずつ視力を失うように、彼が不在のひとりの夜を手探りで過ごさなければならなくなった。

愛を乞うのはいつも彼のはずだった。待っているのも、不安にいたたまれなくなるのも、嫉妬に身を捩《よじ》るのも、触りたくて触られたくて身体を熱く燃やすのも、みんな彼のはずだった。なのに、今はもうそうではないという理不尽に、私は時折混乱して我を失いそうになった。

夜、冷たいベッドの中で胎児のように身体を丸めながら、私はさまざまなことを考える。

次に生まれ変わるなら、愛することを必要としない生き物になりたい。生まれて、子孫を残して、死んでゆく。その他に何の価値もない生き物。神様はなぜセックスに快楽などを伴わせたのだろう。それは愛することの罰なのか。時折、死を想像することもあった。たいていは、朝に目覚めた時には笑ってしまうが、言いようもなく魅力的に思える瞬間もあって、ぞっとした。

やがて、支倉と肉体を重ねて激しく喘いでいても、私は孤独を拭いさることができないようになっていた。支倉との結婚を望んでいた頃の私は、いつの間にか、ひとりで過ごす夜の底に沈んでいた。いったい私は何が欲しいのだろう。私の中にこうして今も燃え続ける欲望は何を求めているのだろう。

孤独の後に何が来るのか、想像するのが怖かった。

怖かったが、それはひたひたと自分の足元に近づきつつあるのを感じていた。

私は来月、三十歳を迎える。

もう、あの時別れておけばよかった、という後悔を繰り返すには、肌も髪も弾力を失いつつあった。

私は今夜、支倉に別れを切り出すつもりでいる。いったい何度目の別れだろう。けれども今夜は違う。今までとは違う。絶対に違う。そう誓いながら、私はまだ自分を完全に信用することができずにいた。私の決心は、幾度とない、彼の震える肩や、ワイシャツの取れかかったボタンや、その時たまたま降った雨や、飲みすぎたワインに覆されてきた。

約束の青山のレストラン・バーのドアに、私は慎重な思いで手を伸ばす。ひたひたと近づいて来るその何かに背を押されるように。

ドアが開く。

夜の光が静かに溢れ出て、私の足元を揺るがしている。

カウンターに彼の背が見えた。

長い旅

A long trip

孤独は嫌いじゃない。

明かりのないマンションにひとりで帰るのも、日曜の午後にひとりで映画を観に行くのも、気に入ったレストランでひとり夕食をとるのも、花火や夕焼けや夜景をひとりで眺めるのも、ショッピングも、旅行も、ベッドも、誰かと一緒でなければ楽しめない、ということはない。

生活スタイルに手を抜いたことはない。

マンションは好きなインテリアで統一し、朝食は手作りで、週一回スポーツクラブに通い、ボランティアと環境問題に関心を持ち、新聞は二紙取り、シンプルで質のいい服を売るブティックを何軒か知っていて、化粧品は無添加無香料のものを使っている。

ネガティブに生きたことはない。

仕事は好きだし、それなりの実績も上げてきた。もちろん失敗や挫折もあったが、いつも前だけを見て、自分を信じてきた。今では主任という肩書きもついている。信頼できる仲間も友人もいる。やりたいことはみんなやってきたという自負もある。

景気が上昇の一途を辿っていた頃に大学を卒業した朋子《ともこ》は、大手の銀行に就職した。多くの学生が内定を十社以上もらうような売手市場だった。

そこに五年勤めたが、結局、会社は女性に何の期待もしていないことを知って、あっさり辞表を提出し、カナダに一年間留学した。その頃、海外留学は女性たちの憧れで、例に漏れず朋子もそうだった。自分を変えたい、自分の力を試したい、そんな思いに突き動かされて、慌ただしく旅立った。

カナダでの刺激的な一年を過ごした後、帰国して、今の広告代理店に就職した。

そして十年。来年、朋子は三十代最後の年を迎える。

友人たちの多くは結婚している。かつては、意気揚々と男を渡り歩き、自立を主張していたはずの彼女らも、今はもうすっかり家庭に納まって、妻と母の顔になっている。

たまに会うと、彼女たちはため息まじりに言う。

「ほんと、朋子は強いわ。私は結局できなかった、ひとりで生きてゆくなんて」

「全然強くなんかないわ、たまたまこうなっただけよ」

「でも、ねえ、寂しくない？」

そう言って、彼女らにある種の期待のこもった目を向けられると、どちらの答えを口にするか、いつも迷う。

「ううん、ちっとも。気楽だし充実してるわ」

と答えて、刺激するか、

「ええ、寂しいわ。あなたたちが羨ましい」

と言って、安心させるか。

最近、そこに「時々ね」という答えを加えるようになった。すると彼女らは、自分に都合よく解釈して、こう付け加える。

「家族っていいものよ。本当に結婚しないの？　子供だってまだまだ産めるじゃない。こういう幸せがあるってこと、朋子にも知って欲しいのよ。やっぱり人って、ひとりで生きてゆけない生き物だもの」

それに反論するつもりはない。何か言い返せば、きっととめどなくなる。だから朋子は、曖昧な笑顔で頷いておく。

「そうね、そういう人とめぐりあえたらね」

しかし、内心はこんな感じだ。

「ねえ、聞かせて。あのくたびれたダンナのどこがいいの？　あの傍若無人の子供たちのどこが可愛いの？　無理して買ったマンションのローンに追われて、たまに会っても同じ服ばかり着て、見るからにすっかり所帯やつれした姿で、話題は芸能人のスキャンダルか、近所や姑の愚痴ばかりで、ダンナの甲斐性のなさにカッカして、ちゃんとした躾《しつけ》もできてないのに子供の幼稚園受験に躍起になって、それでもやっぱり、結婚はそんなにいいの？　した方がいいって私に言うの？　どうして気づかないのかしら、そんなあなたたちを見てるから、結婚なんか、と思ってしまうことに」

もちろん、そんなことは口が裂けたって言えやしない。それくらいの忍耐は備えている。

仕事を終えたのは七時を少し回ったばかりだった。

ここのところ、会議や残業続きですっかり疲れ果てていて、肉体はもちろん、気持ちまでも錆付いたようにギシギシ音を立てていた。早く帰るのもいいが、久しぶりにひとりで少し飲んでゆきたい気分になって、いつものレストラン・バーに寄ろうと青山で途中下車した。

交差点を渡る時、ふと、記憶にある香りが鼻先をかすめて、朋子は足を止めた。記憶が駆け足で蘇る。振り向いて、人波の中にその姿を探し求めた。しかし、期待した背中を見つけることはできなかった。

靖志《やすし》であるわけがない。たとえ、靖志であったとしても、それがどうしたというのだ。

朋子は再び歩き始めた。

嗅覚は驚くような記憶力を持っている。懐かしいオードトワレの香りが忘れていた栞《しおり》を見つけたように、思いがけず過去を開いてゆく。

もし、靖志と結婚していたら、私はどんな人生を生きていただろう。

今となると、人は「ただ流行に乗せられただけ」と言うかもしれないが、あの時、確かに朋子は自立がしたかった。仕事をバリバリして、経済力を持ち、男に媚びるのではなく、頼るのでもなく、自分の足でしっかり立って生きたかった。そういう年上の女性たちが、スーツ姿で生き生きと働いているのを見るたび、ますます方向性は固まっていった。

小さい頃から、結婚にはどういうわけか魅力を感じていなかった。田舎の母を見てきたせいもあるかもしれない。母は女というだけで、望んでも大学に進学させてもらえず、就職もさせてもらえず、家で花嫁修業だけをして、二十三歳の時、当たり前のようにお見合いで結婚させられた。父は自分勝手な人ではなかったが「食わせてやっている」という男特有の考え方を当然のように持っていて、母は時折、つまらなさそうに朋子に語って聞かせるのだった。

「昔はそれで仕方なかったかもしれないけど、今はそうじゃないんだから、あなたは自由に生きなさい。やりがいのある仕事と経済力を身につけるの。結婚に妙な憧れなんか持つことないわ。主婦なんてつまらないものよ。自分ひとりで決められることなんて、何ひとつないんだから」

だから、学生時代から付き合っていた靖志にプロポーズされた時は、正直言って困惑した。

まだ銀行に勤めていた頃だ。もちろん彼のことは好きだったし、一緒にいたい、一生を共にしたいという思いもあった。けれど、それは恋愛の延長上においてのことだ。夫婦というよりパートナーとしての在り方だ。

　あれだけ共に時間を過ごしていながら、あれだけベッドで愛し合っていながら、結婚という二文字が出た時、朋子は互いが何も理解していなかったことを思い知らされた。

「子供が生まれるまで働けばいいさ」

　その一言がすべてを語っていた。

「待って」

「えっ？」

「どういう意味？」

「どういうって、だから子供が生まれたら家に入るんだろ」

　朋子は息を吐き出した。

「あなたが好きよ。でも、あなたが望む妻にはなれそうもない」

「どうして」

「そういう主婦になりたくないの」

「でも、みんなそうなってるだろ」

「みんながすることを、私がすることだと決めつけないで」

靖志はしばらく朋子を見つめ、それから床に視線を落とした。

「君の言ってることがわからない」

付き合いはそれからもしばらく続いたが、結局は終わりを迎えた。

「どうしてこのままではいけないの？」

と尋ねる朋子に、靖志は違う生き物を見るような目で、哀しげに言った。

「きっと、僕は肝っ玉の小さい男なんだ。昔ながらの封建的で時代遅れの男なんだ。情けないけど、そういう君を全面的に受け入れられない。僕は、家に帰ったら飯と風呂の用意がしてあって、朝はアイロンのかかったワイシャツが出されて、いつもフローリングの床が素足で歩けて、週末には弁当を持って子供と一緒に釣りに行くような、そんな家庭が欲しいんだ」

靖志と別れたことで、朋子はもう後戻りできない気がした。こんな大きな犠牲を払ってまでも、自分の生き方を選んだのだ。こうなった以上、どうしても理想とする人生を手に入れたい。退職と一年間のカナダ留学は、その決心の証でもあった。

帰国した時、まだ好景気は続いていた。再就職先も決まって、朋子はわくわくしながら仕事に励んだ。そこは前の職場と違って、男女の差別もほとんどなく、自由な雰囲気で朋子を迎え入れてくれた。

キャリアを意識した仕立てのいいアルマーニのパンツスーツとか、使い込んであるが手入れの行き届いたエルメスのバーキンとか、シンプルだが存在感のあるブルガリの時計とか、小粒でも質のいいダイヤのピアスとか、働く女に似合いのアイテムを、給料をやりくりしながら手に入れてきた。しかし、それらは周りの憧れの存在たるに十分な持ち物ではあっても、それだけでは足りないのだった。どんなに自立していても、恋の匂いのない女にはどこか哀れさが付きまとう。

結婚に否定的だからこそ、恋を大切にしたかった。三十歳を過ぎ、短い恋をいくつか経て、知り合ったのが村井《むらい》だ。

クライアントの責任者であった村井は、朋子より一回り近く年上だったが、物腰が柔らかく、落ち着いていて、部下の信頼も厚く、とにかく仕事のできる男だった。彼の存在に圧倒されるように、朋子は惹かれていった。

彼と過ごしていると、自分が最高の女になったような気持ちになった。朝は化粧をして服を着て自分というものが出来上がってゆくが、村井の前では反対だった。服を脱ぎ化粧を落として、初めて本当の自分を知る。すべてにおいて本物を教えてくれたのは彼だ。その中には、もちろんベッドの中のこともある。

正直に言えば、村井と結婚したいと思った瞬間があった。この人のために食事を作り、この人の子供を産んで、この人の帰りを待つ。

しかし、それが叶わぬ望みだということも知っていた。叶わぬというのは、村井に妻子があることではない。朋子自身が、結局はそんな生活に飽き足りなくなるだろうということがわかっていたからだ。時折、仕事を放り出して海外に行ってしまいたくなる。朋子の頭をかすめた結婚は、それと同じような感覚だった。そうして海外に遊びに出掛け、解放されたような気分になっても、十日もすれば仕事に戻りたくて仕方なくなる自分を何度も経験していた。

三年の付き合いは、朋子を大人にしてくれたと思う。そう思わなければ後悔するしかない。

村井との別れを思い出すと、苦い痛みが身体《からだ》の内側に広がってゆく。

不況が足元を揺るがすようになっていた。村井は苦しい立場に追いやられ、会うたび精彩をなくし、急速に年をとってゆくようだった。やがて不本意な異動で子会社に回されると、今までの彼からは信じられないような愚痴や弱音が吐かれるようになった。冷静で頭の切れる村井の、そんな姿を見たくなかった。会うことをしばらく避けると、朋子を詰《なじ》る声が留守番電話に吹き込まれるようになった。

「恩を仇で返す気か」

一度や二度ではない。愛した男の無残な変貌に失望し、冷然とし、そして恐怖を覚えた。会って話しても、村井は何ひとつ聞き入れようとはせず、朋子を、会社を、社会を、人生を嘆いた。

最後にふたりでベッドに入った時、村井はセックスができなかった。機能しなかったのだ。それからふっつりと連絡は途絶えた。

村井を本当に愛していたのか、今となってはわからない。自分を軽蔑してしまいそうだが、あの人ではなく、あの人の存在を愛していただけなのかもしれない。

「失礼ですが」

声をかけられて振り返った。三十歳くらいのサラリーマン風だが、どこか崩れた感じの男が立っている。男は、朋子の顔を眺め、それから急に取り繕うように言った。

「どうも、すいません。間違えました」

「いいえ」

朋子は再び歩き始める。男の意図したものぐらいお見通しだった。ふん、と小さく鼻で笑い、それからゆっくりと頬が強ばっていった。ショーウィンドウに自分の姿が映し出される。センスがよくて、いいモノを持って、背筋も伸びて、こうして見ると十歳は若い。しかし、近づけばすぐにわかる。どんなに手入れを怠らなくても、年齢は確実に皮膚に刻み込まれている。

そんなことぐらい。

と、朋子は呟く。そんなことぐらいで、傷ついたりしない。若い女にしか価値を感じない男は、若い女だけを追い掛ければいい。そんな男はこっちから願い下げだ。そうして、私は私で、自分にふさわしい男を選ぶ。

村井と別れて、また短いいくつかの恋を重ね、半年ほど前、十四歳年下の寛《ひろし》と出会った。

彼はまだ駆出しのデザイナーだが、朋子はその才能を高く買っていた。このまま伸びればあと五年、いや三年で業界に認められるようになるだろう。

寛とは出会ってすぐに一緒に暮らし始めた。というより、寛が転がり込んできたのである。彼のアパートはそれはひどいものだった。ひとりの生活に馴染《なじ》んでいた朋子にはいくらか危惧もあったが、始めてみると同棲も悪くなかった。寛は料理もうまく、ヒマな時は掃除や洗濯もしてくれた。

ふたりの関係は、恋人というより姉と弟に近いかもしれない。寛はやんちゃで、気紛れで、天真爛漫だった。それを朋子が呆れ、たしなめ、可愛がる。若い寛の周りには、彼に似合いの女の子たちがいて、流行や話題を共有できる彼女たちとうまく遊んでいることぐらい知っていた。もちろん、寛を責めるつもりなどない。そんなことでカリカリしていたら、年下の男なんかと付き合ってはゆけない。

寛に渡した金はどれくらいになるだろう。

それを考えそうになって、慌ててやめた。寛に要求されたことは一度もない。いつだって遠慮するのを、強引に渡してきたのは朋子の方だ。金のためにつまらない仕事をして、才能をすり減らすようなことをして欲しくなかった。そんなふうにして潰れていった人間を、イヤというほど見てきた。

先週二回、寛は外泊した。その前の週も、前の前の週も、帰って来ない日があった。三日前、寛がクリーニング店にスーツを取りに行く約束を守らなかったことで、朋子が少し抗議すると、彼は暗い目で叫んだ。

「俺はあんたのヒモじゃない！」

その時、初めて殴られた。痛いというより驚いて、自分が尻餅をついても、何をされたのかすぐにはわからなかった。

あれから寛は帰って来ない。自分ほど彼を理解し、才能を伸ばせる女はいないと朋子は思っている。けれども、もしかしたらもう帰って来ないつもりかもしれない。

途中、思い出して書店に入った。新しいパソコンソフトのマニュアル書が欲しかった。それはすぐに見つかり、手にしてから雑誌コーナーの前に立った。端から、表紙のフレーズを追ってゆく。

恋愛。結婚。妊娠。出産。子育て。家族。健康。癒し。夫婦。料理。やりくり。

そういった文字が大きくずらりと並んでいる。あの頃、自立を促し、結婚を警鐘し、ひとりで生きる女たちの力強い味方だった雑誌でさえ、驚いたことに「食卓を彩るお惣菜」がテーマになっていた。

そこに、朋子の探しているものは何もなかった。そう思ってから、私の探しているものは何なのだろうと考えた。朋子は棚から離れ、レジで精算して外に出た。

リストラは他人ごとではなく、朋子の周辺にも押し寄せていた。仕事は精一杯してきたし、それなりの実績も積んできたはずだが、会社側は不要な社員の中に朋子の名を連ねているのだった。高給で扱いにくいというなら、朋子より無能な上司は山ほどいる。けれど、リストラを決定するのは、その無能な上司たちなのだった。

三年前に１ＬＤＫのマンションを買って、そのローンがまだ二十年近く残っている。もし収入の道が断たれるようなことになったら、手放さなければならない。それだって、今のご時勢、売れるかどうかもわからない。老後はいったいどうなるのだろう。

同じようにひとりで頑張ってきた友人の奈美《なみ》が、先日、電話をかけてきた。ここのところずっと体調が悪く、生理も狂いがちで医者に行ったら、更年期障害の初期と診断されたという。

「ショックだったわ、まだ私、四十前よ。このままおばあちゃんになってしまうの」

泣きながら訴える奈美に、どう答えていいのかわからなかった。

先日、田舎の兄が上京して来た。出張のついでとのことだったが、両親の介護の話を持って来た。膝を悪くしている父と、少しボケが始まった母のために、家をバリアフリーに改築したいという。兄夫婦にすべてを押しつけるつもりはなかった。娘として、できるだけのことをしたいという思いもある。今度のボーナスでいくらか都合をつけるということで話はまとまった。兄がほっとしたように、ぬるくなったコーヒーを啜った。

「この間、母さん、言ってたぞ」

「なに？」

「朋子はいつになったら安心させてくれるんだろうって」

朋子は思わず兄の顔を見た。

「おまえも大人だし、自分の考えで生きてるんだから余計なことだろうけど、母さんにしたらやっぱり家庭に入って幸せになって欲しいんだってさ」

声が出なかった。

青山はお洒落で洗練された街だ。

ここを歩く時、朋子はいつも圧倒されないように、少し胸を反らしがちにする。

ひとりが好きだ。

自由に、身軽に、何物にもとらわれず、何事にも煩わされず、誰のためではなく自分のためだけに生きる。そんな生き方を望み、そうして手に入れてきた。

目的のレストラン・バーに着き、朋子はドアに手を掛けた。すると不意に、今までとてつもなく長い旅をしてきたような疲労を感じた。そして同時に、その旅がこれからも果てしなく続くのだということに気づいて、身体が絞り上げられるほど愕然とし、パンプスの足がもつれそうになった。

幸福の向こう側

Behind the happiness

それは怒りに似ているかもしれない。

私は自分の気持ちをうまく分析することができずに、狼狽《ろうばい》していた。ただ、真一《しんいち》をあの女に渡したくなかった。

けれども、なぜ渡したくないのか、という理由は見つけられなかった。確かに真一は見た目も悪くないし、話題も豊富で知的でもある。けれども、私は今まで一度も彼に男としての興味を抱いたことはない。彼はそういった枠の外にいる存在だった。なのに今、真一を渡したくないと思う気持ちを抑えることができなくなっている。

真一が私をどう思っているか、そんなことはどうでもよかった。私は彼を渡したくないのであって、恋愛をしたいと望んでいるわけではないのだから。

私はすでに三カ月前、婚約している。

相手の伊東淳《じゅん》は、家柄も学歴も申し分なく、勤めている会社も一流だった。人柄的にも、三十歳になった今もおぼっちゃん育ちがそのまま大人になったように歪んだところがなく、自分の恵まれた境遇をひけらかす傲慢さもない。家は祖父の代から製紙会社を経営していて、将来は兄が跡を継ぐことになっている。次男という点でも気が楽だ。もちろん結婚後のマンションは都内の一等地に用意されている。文句のつけようのない相手だった。

だからといって、淳との婚約を幸運などと、私は考えていない。むしろ当然だと感じている。そのための努力を、努力と悟られないほど気を遣いながら重ねてきた。冷静に考えても、私は他の女たちを上回る聡明さと美貌を持ち合わせているが、それらは生まれもったものではなく、自分でひとつずつ手に入れてきたものだ。

志望した大学に入るため、高校時代はそれこそ必死に勉強した。外資系の金融会社に就職してからも、本や新聞を数多く読み、知識を身につけることに労を惜しまなかった。自分の考えをきちんとした言葉で相手に伝える技も身につけた。さほど高くはない身長を、すっきり見せるために、ファッションや化粧も研究した。そうして私は、淳を手に入れた。

なぜ、淳なのか。彼は、私が努力だけではどうしても手に入れることができないものを持っている男だったからだ。

それをひとことで言ってしまえば、恵まれた境遇ということになるだろう。家柄とか資産とか、それらはある意味で人々の軽蔑をかいながら、誰もが羨望に揺れるステイタスだ。

淳との出会いは、成城のスポーツクラブに始まる。私はゴルフのレッスンに通っていた。そこでスカッシュをやっていた彼と、プールやラウンジで何度か顔を合わせた。私はすぐに淳の存在を認めたが、決して意味ありげな視線や、意味のない笑顔を浮かべたりして、媚びるようなことはしなかった。私は他の女たちがやるのと同じ方法を使うほど、自分に自信がなくはないからだ。

顔見知りから挨拶程度の言葉を交わし、それが立ち話になり、ラウンジで一緒に過ごすようになった。淳は私に好意を持ち、それが恋に変わり、やがて結婚を口にした。

「負けるって気持ちが、今まで、僕にはよくわからなかった。でも、たぶん、こういうことなんだと思う」

「どういう意味？」

私は彼をまっすぐに見つめながら尋ねた。

「君がいないと週末をどう過ごしていいかわからないんだ。たぶん、人生も。僕は君に負けたよ。完璧に、どうしようもないくらい」

それがプロポーズの言葉だった。

私は恋に溺れるほど浅はかではないが、それを利用することしか考えてないような愚か者でもない。私は淳を冷静に見つめた。私の将来を考え、ふたりの幸福を想像した。そして、淳の望みを受け入れた。

初めて淳の両親と引き合わされた時も、私は必要以上に尻込みはしなかった。緊張はしたが、びくびくした態度ほど落胆を呼ぶものはないと知っていたから、質問に対しては顔を上げ、正直に答えた。

「お父さまのご職業は？」

芝の敷き詰められた庭が、窓の向こうで巨大な絵画のように広がっていた。リビングのゆったりとしたソファに浅く腰を下ろした母親が、いくらかの見縊《みくび》りと威圧を含んで尋ねた。

「会津で漆塗りをしています」

「おひとりで？」

「手伝いの者が三人います。忙しい時は母も手伝っています」

「それは大変ね。でも、会津の漆器は有名だから」

母親にいくらかの期待のこもった表情が浮かぶ。私はさりげなく否定する。

「父は名がある作家とは違って、ただの職人です」

「あら」

あからさまに落胆する。けれども、もちろん私はそんなことで自尊心を傷つけられたりはしない。

「でも職人気質《かたぎ》のところがあって、仕事には誇りを持っています。引き受けた仕事は採算を度外視してもやってしまうようなところがあります」

「そう、それでごきょうだいは？」

「二歳上の兄がいます。市役所に勤めています。結婚して、去年、子供が生まれました」

「それはおめでとう」

「ありがとうございます」

父親の方はほとんど口を挟まない。それでも、値踏みされていることははっきりと感じられた。

私は、裕福ではないが愛情溢れる家庭で育った娘であることを両親に印象づけた。そのことに、嘘はない。もしあるとしたら、私が自分の家族に対して生まれて二十六年間、ずっと違和感を覚えてきたことを言わなかったということかもしれない。私は確かに家族に愛されていたが、貧しい生活の中で、常に自分の居場所はここではない、というような居心地の悪さを感じていた。この家は私にふさわしくない、もっと別の環境で育つべき娘のはずだ。もしかしたら産院で間違われてしまったのではないか、と真剣に考えたこともある。

貧しさは罪ではないが、あの頃、私は時折ひどく孤独を感じた。どうしても慣れなかった。私がこうして自分の家の茶の間とはあまりにも格差があるリビングルームで、物怖《ものお》じすることなく座っていられるのも、ある意味でその感覚のせいかもしれないと思う。

当然、結婚は反対された。そして当然、そのことは覚悟していた。

けれども淳はすでに私に夢中であり、結局、両親が折れるという形で婚約した。つまりその程度の反対だったということだ。私は十分に両親の面接にパスしたといえるだろう。

計算高い女だと、周りから言われていることは知っていた。

もし、彼がお金持ちでなかったら？

ストレートにそんな質問をされたこともある。私はその時、笑ってしまった。ありえない仮定での質問なんて無意味だ。それは「もし、あなたが男だったら？」と尋ねられるのと同じだ。計算だけで、ここまでやれるわけがない。私は努力した。そのことを評価しないで、非難めいた噂を囁き合うことで、何もしない自分を納得させようとする女たちを見ると、私はむしろ可哀相になる。

淳と寝る時は、たいがいホテルを利用する。もちろんラブホテルではない。値段のことを気にするより、雰囲気を重んじることができるのは、淳のような境遇の特権というものだ。私たちはいつもその部屋の中で、絡み合っては崩れ合う波のように愛し合う。

淳の指や唇が、どんな場所を這っても慌てたりしないよう、私は身体《からだ》の隅々まで手入れを怠らない。足の指の間まで、美容液を塗るのは私ぐらいのものだろう。脱がされるための下着は、妙に凝ったりせずシンプルなデザインのシルクをつけている。紐がするりと肩から落ちるように、ほんの少しストラップを緩めにしておく。ショーツは彼の指が滑り込みやすいよう、深いカットになっている。

私は淳が喜ぶことは何でもしてあげたいと思っている。けれども、少しだけ足りない愛撫がいっそう興奮と愛《いと》しさを高めることも知っている。満ち足りる必要はない。そんなものは、もっとずっと先でいい。今はその足りない何かを探して、お互いを求め合うことが大切なのだ。奉仕でもなく、献身でもなく、分かち合い、奪い合う。私は暖まったシーツの中で、湿った身体から滲み出る私と淳の匂いが混ざり合い、ゆっくりと甘美に揮発してゆくのが好きだった。

淳と付き合うようになってから、私はよく彼の仲間内のパーティに同伴した。もともと大学のアイスホッケー部の集まりだったのだが、メンバーの友人や、その友人が友人を連れて来るというような広がり方をしているうちに、気のおけないグループが出来上がったらしい。

青山のレストラン・バーがいつも会場となり、男たちはたいがい恋人やガールフレンド、または単なる女友達を連れて来た。そういった出入りの中で、時には、その仲間うちでカップルが出来上がることもあった。どちらにしても、彼らは同じ枠の中で生きる人種だった。柔らかく緩やかに見えながら、要《かなめ》に頑強な結び目を持つ「枠」だ。

真一はその中のひとりだった。

けれども、彼は異質だった。そのことを仲間たちは少しも感じていないようだが、それは彼らの育ちのよさからくるものだろう。彼らは自分たちの恵まれた境遇をひけらかしてはいけないと意識するあまり、鈍感になってしまっているのだった。もちろん私にはすぐにわかった。なぜなら、彼は私と同じ種類に属する人間だったからだ。

真一はいつもひとりで来ていた。女たちの視線を集める魅力を十分に備えた真一は、彼女らの笑顔をやんわりと受け止め、同時に、するりとかわしていた。

「あの人、どういう人？」

初めて彼を見た時、私は淳の耳元で尋ねた。

「ああ、真一か。いい奴だよ。アイスホッケーの腕は、大学リーグの中でもトップだった」

屈託なく淳が答える。

「努力家だしね。家では学費が無理らしくて、大学はバイトと奨学金で通ってた。だからって部活に手を抜くこともなくてね。ほんとに、頭が下がるよ」

「そう」

私はそれから何度も真一と顔を合わせたが、個人的に言葉を交わしたことはほとんどない。それでも私は彼をずっと見ていた。もちろん、それは男としてというのではなく、たとえて言うなら、同胞、だ。私は真一に興味があった。彼はその飄々《ひょうひょう》とした佇《たたず》まいで、何を手に入れようとしているのだろう。この裕福できらびやかな女たちの中から、自分にふさわしい相手をどう選び出すつもりなのだろう。

ところが先月、真一は初めて女性を同伴して現れた。私の目はその女に釘づけになった。あまりにも真一にはふさわしくない女だったからだ。

彼女は可愛らしく、素朴な女である。一目で安物だとわかる服を、精一杯工夫して着ているのが何よりの証拠だ。けれども、それを健気《けなげ》だなどと、私には思えない。私だったら、着るものがないならいっそジーンズとコットンシャツで来る。彼女にはその勇気もセンスもない。どこかおどおどしたように真一に寄り添う姿も卑屈に見えた。卑屈、というのが私はいちばん嫌いだった。

二度目に真一が彼女、仁美《ひとみ》を同伴して来た時、カウンターに飲み物を取りに行くのを見計らって、私は声をかけた。

「こんにちは」

「あ、はい、こんにちは」

仁美はいくらか戸惑いながら、私に笑顔を向けた。私たちは互いに自己紹介をし、軽く雑談した。それから、そこに特別な意味があると勘繰られることのないさりげなさで、私は尋ねた。

「真一さんとは、どちらで？」

「同じ会社なんです」

「そう、同僚なの」

「同僚と言っても、真一さんは将来有望なエリートですから。総務でボールペンやコピー用紙の在庫を調べてる私なんかとは大違い。私は所詮、ただのＯＬです」

「あら、自分のこと、そんな言い方するなんて」

「だって、ほんとにそうなんです。真一さんに、こんな素敵な集まりに誘ってもらえるなんて夢みたい」

「大げさね」

「私にすれば大げさでも何でもないんです。みんなお金持ちで洗練されてて。この中に父が信用金庫に勤めていて、母がスーパーにパートに出てるような家庭環境の人なんか、ひとりもいないでしょう」

「関係ないわ。私だってちっともお金持ちの家の人間じゃないわ。でも、そんなことは気にしないの。ここではみんな対等よ。自分の思う通りに楽しくやればいいのよ」

するとと仁美は意外なことを聞いたようにひとつ瞬きし、それから「ええ、そうですね、そうします」と、まるでよき理解者を得たかのような安堵の表情を浮かべた。

悪い子ではない、ということはわかっている。健康で、いやな仕事にも愚痴をこぼさず、ブランドに興味も知識もなく、子供が好きで、年寄りには親切なのだろう。もし彼女と付き合っているのが、新宿の居酒屋でクダを巻いている若いサラリーマンなら、私は諸手《もろて》を上げて賛成する。皮肉ではなく、本当にそう思う。きっと、彼らに似合いの幸福を手に入れることができるはずだ。

けれど、真一は違う。真一は彼女とちんまりした幸福に浸るのが似合う男じゃない。

私は釈然としなかった。真一に興味を寄せている女たちは他にもいる。彼女らは、真一が持っていないものを持っていて、それが真一を完璧にさせることを私は知っている。その気になれば、容易なことなのに、なぜそうしないのだ。

「どうかした？」

淳が近づいて来た。

「ううん、何でも」

私は首を振る。そうして淳を見上げる。

私は努力して淳という男を手に入れた。それは努力して大学に入ったことや、努力して知性を磨いたことや、努力して美しくなったことの延長上にある。私はこれからだって努力し続ける。よい家庭を作るために、よい子供を育てるために、妻として母として、いつまでも励み続ける。

「真一の奴、彼女との結婚を決めたんだってさ」

私は思わず淳を振り返った。

「本当に」

「さっき白状したよ」

「そう、仁美さん、いい子だものね」

口にした言葉が苦かった。

「今時、めずらしい純真な子だものな。いかにもあいつらしいよ。お似合いだ」

純真なんて、いつかは汚れてゆくものだ。女はそんなふうにできているのだ。私は壁ぎわで談笑している真一に目を向けた。彼の隣には当然のように仁美が佇んでいる。真一からはいつものクールな印象が消えて、居酒屋で見る凡庸なサラリーマンの表情が覗いたように見えた。

似合わない。

真一にそんな表情は似合わない。ガラスに爪をたてた時のような嫌悪感が広がった。

「結婚が僕たちと同じ時期なら、ここで合同の披露パーティをやってしまおうか」

淳が冗談とも本気ともつかぬことを口走る。私は喉元にせりあがってくる怒りを何とかうまく呑み込んだ。

「そうね、それも悪くないわね」

そう答えながら、仁美が選ぶドレスを想像しただけでうんざりだった。大きく盛り上がったパフスリーブ、ウェストの後ろで結ぶわざとらしいリボン、ペチコートでむりやり広げたレースのスカート。冗談じゃない。私の積み重ねてきた今までの努力が、笑い物にされてしまうような気がした。

あの女に真一を渡したくない。

それは思いがけない激しさで、私の足を竦《すく》ませた。


パーティは和やかに進んでいた。酔いが回って、ハメをはずしても、彼らは常にルールを忘れない。大声で議論を始めたり、執拗に女性をからかったりすることもない。彼らの躾《しつけ》は骨の髄まで行き届いている。

ここは店の中でも奥まった場所にあり、ちょっとしたパーティスペースになっている。そこを抜けて、レストルームに向かう真一の後ろ姿が見えた。私はピンク・ジンを飲み干してから、カウンターへ移動し、残りの者からそれと気づかれぬよう真一を待った。

カウンターの向こうにあるガラス戸に、自分の姿が映っている。タイトなグレーのスリップドレスと、肩に羽織った上質のニット、そしてプラチナのチョーカー。それらが自分によく似合っていることに、私はとても満足した。

やがてレストルームから真一が現れた。

「風に当たりたいの、少し付き合ってくれないかしら」

そう言うと、彼はいくらか戸惑った顔をした。私は返事を待たずに外に出た。

店の前の駐車場には、美しい曲線の車が誇らしげに並んでいる。私はそれさえ通り過ぎた。陽気な初夏の風が足元にまとわりつくように流れていった。

「どこに行くつもりだい」

背後から真一の声がした。私はゆっくりと振り返った。

「なぜなの？」

質問の意味が、彼にはすぐには理解できなかったらしい。

「どういう意味かな」

「なぜ、あの子なのって聞いてるの」

「仁美のことを言っているのかい」

「彼女はいい子よ、それはわかるわ。でも、あの子と結婚して、何が得られるの？世の中の十人のうち九人が手に入れる平凡な幸福をあなたは望むつもりなの。そうして十人のうち九人が抱える不満を持とうというの。想像がつくわ。結婚して、団地か、買ってもせいぜい郊外の2ＬＤＫのマンションで、一時間余りも通勤ラッシュにもまれながら三十五年のローンを払って、お小遣いは月に三万、新宿か会社近くの居酒屋でクダまくのがせいぜいのストレス解消、やっとの思いでふたりの子供を大学に進学させて、そうして、くたびれ果ててゆくの」

真一の頬に苦い笑みが走り抜ける。

「それのどこが悪い」

「悪いなんて言ってないわ、あなたにはふさわしくないと言ってるのよ」

「それは僕が決めることだよ」

「あなたは十人のうち残りのひとりになれる人よ。なぜそうしないの」

「行くよ」

真一は背を向けた。私は引き止める術が咄嗟に思い浮かばず、後を追って、その背を両手で抱き締めた。かたく、しかし芯に弾力を感じさせる手応えがあった。

「あなたは私と似てるわ。そのことは、初めて会った時から、あなたも気づいてるはずよ」

「離してくれないか」

真一は振り向き、私の腕を穏やかに振り払った。

瞬間、私は真一の唇に自分のそれを押しつけた。生温かい唾液が口の中に広がる。

渡したくない、という思いは激しい恋にも似て私を昂《たか》ぶらせた。そして、もしここで真一の欲望を呼び起こすことができたら、あの女に勝てるような気がした。

しかし、真一の腕に力がこもることはなかった。私は屈辱にまみれながら、真一から離れた。

「確かに、僕は君をずっと見ていた」

「ええ」

「けれど、僕は君のように、人生を戦場にするつもりはない」

真一は淡々と言った。

「どういう意味？」

「君は本当は後ろめたいのさ。自分の選択に自信がないんだ。だから僕にも同じことをさせたがっているだけさ」

「何を言ってるの」

「君を間違ってるとは思わないよ。もしかしたら愚かなのは僕の方かもしれない。けれど、それでいいんだ、僕はそれでね。僕は君とは違う」

そう言って真一が背を向けた。私の頬が細かく痙攣《けいれん》した。彼の背に、まるで凶器を振りかざすように私は叫んだ。

「わかったわ、そうすればいいわ。そうして、平凡で貧しいことがどれほど自分を傷つけてゆくか、思い知ればいいんだわ」

その言葉が真一にどんな刻印を残すことができたか、私にはわからない。それでも、私は最後のセリフを口にすることで、凄まじいばかりに襲ってくる虚無感を払いのけなければならなかった。

五分後、私は何事もなかったように、淳の傍らに寄り添い、婚約者としての笑みを浮かべていた。もう視界に真一の姿はない。枠からはずれて生きようとする者に興味はない。

私は必ず幸福になる。誰もが羨む人生を手に入れてみせる。

もしかしたら本当にこれは戦いなのかもしれないと感じ始めていた。真一との、いや、自分自身との。私はさりげなく淳の腕に手を回した。この選択が決して間違いなどではないと、自分自身に確認するように。

恋愛勘定

Conspiring a romance

待ち合わせた青山のレストラン・バーに、比呂子《ひろこ》は先に到着した。カウンターに腰を下ろすと、少し考えてからバーテンダーにドライシェリーをオーダーした。そして、そんな自分にいくらか照れたようにほほ笑んだ。

以前、食前酒と言えばバーボンのソーダ割りと決まっていた。色々と考えるのは面倒だったし、色鮮やかなカクテルやシャンパンの類はどうもヤワな気がして苦手だった。好みの問題だけでなく、そういったものを気取って口に運ぶ仕草が、いかにも女を演じているように思えて、少なくとも自分には似合わないと思っていた。

けれども最近、比呂子は変わった。洒落た酒が好きになり、グラスを持つ指先の手入れをするようになり、服の好みもソフトなラインを選ぶようになった。そんな自分の変化を面映ゆく思いながらも、存分に楽しんでいた。

比呂子がドライシェリーの華奢《きゃしゃ》なグラスを手にした時、ドアから美沙《みさ》が姿を現した。美沙が比呂子に気づき、カウンターに近づいて来る。相変わらずスタイルがいい。

スリットから形のいい太ももが覗いている。美沙は華奢な身体《からだ》に似合わぬ大きな胸をしていて、それを強調するようにぴったりした服を着ている。以前からその色っぽさは認めるところだが、こうして久しぶりに見るといっそう磨きがかかったように思う。周りの男どもの視線も、美沙が店に入って来た時から泳いでいる。

「久しぶり、元気だった?」

「うん、まあね」

会うのは半年ぶりである。

美沙が隣のスツールに腰を下ろすと、比呂子の鼻先に、フローラル系の甘ったるい香りが漂ってきた。メーカーまではわからないが、いかにも彼女が選びそうな香水だ。

「最近、どう?」

比呂子が尋ねる。

「まあまあってとこ。比呂子は?」

「同じようなもの」

バーテンダーがオーダーを取りに来た。

「私、ブラックベルベット」

黒ビールとスパークリングワインを合わせた軽い感じのカクテルだ。それを注文してから、ふと美沙の視線が比呂子のグラスに向けられた。

「めずらしいわね」

「そう？」

「いつもバーボンのソーダ割りじゃない」

「よく覚えてるわね」

「そりゃそうよ、常々強烈だなぁって思ってたもの」

「何が？」

「食前酒でいきなりバーボンじゃ、私は相当いける口ですって、宣言してるようなものでしょう。なかなか度胸のいる選択だわ」

「美沙だって強いじゃない。私より強いくらい。なのに、どうしていつもそんな頼りないカクテルなわけ？」

「イメージよ。食前酒は、私が飲みたいものではなくて、みんなが私にどういう飲み物を期待しているか、ということで決めることにしているの」

「みんなって、男でしょ」

「もちろん」

「今日の相手は私よ」

「男の目はどこにでもあるわ」

なるほど、確かに、所々から男たちの視線が美沙に注がれている。美沙が優雅な仕草で、運ばれて来たカクテルを口にする。どうして美沙はいつもそんなに艶やかな唇でいられるのだろう。口紅がはげている美沙など見たこともない。同じ女という性を持っていても、資質のようなものが全然違うらしい。若い時なら、それが嫉妬という形で出てしまっただろうが、三十歳も過ぎた今では、もう少し冷静な目で観察することができる。

比呂子は腕時計に目をやった。

「恭子《きょうこ》、遅いわね」

実はもうひとり来る予定になっている。約束の時間は六時半。十五分を過ぎても彼女はまだ姿を現さない。

「どうしたのかしら、いつも一番乗りなのに」

「ほんと、遅刻なんてめずらしいわね」

しばらく近況を報告しあっていると、バーテンダーがコードレスホンを手にして近づいて来た。

「失礼ですが宮前様、もしくは木村様でいらっしゃいますか」

「はい」

ふたりは同時に頷き、比呂子がそれを受け取った。もちろん、恭子からの連絡だということはわかっている。短い会話の後、受話器を返して、比呂子は美沙に顔を向けた。

「恭子、急に仕事が入って、あと一時間ほど遅れるんですって」

「そう、それなら仕方ないわね」

「飲みながら、待つとしますか」

比呂子はドライシェリーをおかわりする。美沙はブラックベルベットを飲み干し、ピナコラーダというココナッツリキュールを使ったカクテルをオーダーする。

三人は同じ大学の同じゼミにいた。卒業してから、ゼミのメンバーたちが同窓会のような形で集まる機会を持つようになった。世話好きな恭子が幹事となったせいもあり、連絡も行き届いて、その集まりはこまめに実行された。最初の頃は十二、三人はいただろう。顔を合わすと、仕事の愚痴やら恋の相談やら、遅くまで賑やかなお喋りが続いたものだ。

あれから十年。メンバーたちも結婚や転居など、さまざまな事情で東京を離れ、集まる人数は徐々に減っていった。そしてついに、去年から比呂子と美沙と恭子の三人だけになってしまった。

食事は三人が揃ってから、と思っていたので空腹が増してゆく。その分、アルコールもよく回る。

「さっきの話の続きだけど」

美沙が顔を向けた。

「何の話？」

「比呂子が食前酒をバーボンからドライシェリーに変えた話」

「ああ、それ。それがどうかした？」

「お酒だけじゃないわ、何だか雰囲気も変わったみたい」

「そう？」

「前は、そんなウェストを絞ったソフトなラインのスーツなんて着なかったじゃない」

「そうだったかしら」

とぼけてみせると、美沙は少し身体を離して、比呂子を足元から頭まで観察するように眺めた。

「もちろん男よね」

ストレートに言われた。もともと、その手の話になると、美沙は照れたり隠したりするようなことはない。聞かれれば正直に答えるし、逆に、ドキッとするようなことも平気で聞いてくる。

「まあ、そういうこと」

「興味あるな、比呂子をこんな女にする男って」

対照的に、比呂子は簡単に恋のいきさつを口にする無邪気なタイプではない。

それでもやはり、恋は喋る喜びを抑えることができない症状を持つのだろうか。つい、口にしていた。

「そうね、確かにあの人に会って、私は変わったわ」

いったん言葉にすると、幸福感がふんわりと身体の奥底から匂いたってくるようだった。

「なるほどね。それで？」

比呂子は少し上目遣いに美沙を見た。

「それでってて？」

「やだ、話してよ。聞きたいじゃない」

「いいけど、笑わないって約束してくれる？」

「もちろん」

「私には似合わないことを言うって思うかもしれないわ」

美沙が呆れたように息をつく。

「前置きが長いのは比呂子の悪いクセよ」

比呂子はドライシェリーを口にした。

「私ね、自分が意外と家庭的な女なんでびっくりしてるわ」

美沙は何度か目をしばたたかせ、それから、吹き出した。比呂子は頬を膨らました。

「笑わないって言ったじゃない」

「ごめんごめん。まさか、そんな言葉を聞くとは想像もしていなかったから。それにしても比呂子がね。じゃあ、その人のためにご飯なんか作ってあげてるんだ」

「ご飯だけじゃなくて、掃除も洗濯もしてあげてるわ」

「信じられない」

「私だって、信じられないわ。今までの私だったら絶対にしなかったもの。しても、何でこんなことを私がしなくちゃいけないのって反発が必ずあったわ。実際、そういうことが原因で別れた男もいるしね。でも今は違うの。彼が喜んでくれるなら、何をやっても全然苦にならないの。やってあげたいの」

「その勢いじゃ、セーターだって編みそうね」

「彼が望めばね」

「参ったわね」

美沙は呆れたようにグラスを運んだ。

「ねえ、何でそんなふうに変わっちゃったわけ?」

酔うほど飲んでいるわけじゃない。けれど、いったん話し始めると実は饒舌になりたがっている自分を感じた。いいではないか、たまにのことだ。いつも美沙に聞かされてばかりだ。

「彼に大切にされているって実感できるからだと思う」

「ふうん」

「この年だもの、まあ美沙ほどじゃないにしても、いくつか恋もしてきたわ。だから、男がどういう生き物かってことはある程度わかってるつもりよ。男の優しさなんて、早い話、寝るまでのエサみたいなもので、寝てしまえば、どんどん横柄になってゆくばかり。でも、彼は違うの」

「どう違うの？」

「とにかく、私を大切にしてくれるの」

「その大切にしてくれるっていうのは、具体的にどういうこと？」

「つまり、普通の男たちとは全然違うわけよ」

美沙はしばらく黙り、やがて顔を向けた。

「それって、もしかして寝てないってこと？」

「まあ、簡単に言えば、そういうこと」

比呂子が頷くと、美沙は目を丸くした。ついでに声も裏返った。

「本当に？　信じられない。ご飯とか作ってあげてるってことは、部屋の行き来もあるわけでしょう。ふたりで部屋にいて、向き合って、それで何もない？」

「そう」

「付き合ってどれくらい？」

「そろそろ半年ってとこかな。でもキスはしたわ」

「中学生じゃあるまいし」

「わかってるわ、美沙ならそう言うだろうって気はしてた。私だって最初はちょっと物足りないような気がしたのよ。今までの恋愛でそういうことはありえなかったから。やっぱり寂しいし、恋人としての確信が持てないっていうか、不安なところもあったの。でも今は、こういう恋愛があってもいいんじゃないかなって思うようになったの。彼が言うの、君は僕にとって特別な人だから安易な気持ちでそうなりたくないって。びっくりしたわ。今じゃもう、男と女がベッドに入るのは当たり前じゃない。そっちの方がずっと簡単じゃない。なのに、あえて、それをしないと言うんだもの」

「ふうん」

「確かに、もうセックスに引きずられるような恋を繰り返すのもバカみたいだしね」

「それ、もしかして私のこと言ってるの？」

美沙がその形のいい唇を歪ませた。しまった、と思った。前に会った時、ホスト上がりの男とのセックスに夢中になり、散々痛い目にあったことを話していたのを思い出したからだ。しかし、正直なところ、美沙にはそういう愚かさがある。

「そうじゃなくて、人それぞれに、恋の在り方が違うってことを言ってるのよ」

「気を悪くするかもしれないけど」

美沙はいくらか口調を変えた。

「もし、彼がホモでも不能でもなくて、それが彼のやり方だとしたら、相当変わってるのは確かね」

今度は比呂子がムッとした。

「ホモでも不能でもないわ。ついでに変人でもないわ」

「でも、大人の男でしょう。健康な身体を持ってるんでしょう。セックスしたがらないなんて、やっぱり変よ」

「したがらないんじゃなくて、したいのを我慢してくれてるのよ」

「何のために？」

「だから、私を大切に思ってくれているから」

「どうして、大切に思うことが、セックスしないことになるのか、わからないわ。私なら我慢できないいし、相手に我慢して欲しくもないわ。お互いを理解するためにも、寝ることは重要なことでしょう」

「そうかしら、寝て理解できることなんて、所詮、その程度のことなんじゃないかしら」

美沙がバーテンダーに「サイドカー」と言った。ウイスキーベースの相当強いカクテルだ。酔うつもりらしい。つまり、やる気である、ということだ。それならそれで、受けて立とうではないか。

「その程度って、どの程度よ」

「つまり、セックスの相性がいいか悪いかってぐらいのことの理解よ」

「それだって重要なことだわ」

「でも一部でしかないわ。それに、美沙は今までそうしてきてどうだった？　結局はほとんど、こんなはずじゃなかったと言って別れてるじゃない。セックスで理解したことなんて何にも身にならなかったということでしょう。そんな恋愛を重ねて何が残るっていうの」

　ふと、周囲から注がれる、好奇心と畏怖心みたいなものが混ざった男たちの視線を感じた。話している細かい内容まではわからなくても、比呂子と美沙の様子は、周りを威圧するような迫力を呈しているらしい。しかし、そんなことを気にして、話を丸く納めるなどということを、すでにふたりとも考えてはいなかった。

「私はね、恋で何かを残そうなんて考えてないわ。恋をした時は、何も残らないほど燃え尽きてしまおうって主義なの。比呂子みたいに何かを残そうとするなんて、結局は打算じゃない」

「人間は学習する生き物よ。恋愛にも言えることだわ」

「違うわ、恋愛は自分の中にある既成概念を打ち破るところから始まるのよ。だいたい、比呂子のそれって本当に恋かしら。恋愛って、好きになって、会いたくて、触りたいってことでしょう。それを抑えられるってことは、結局、彼にはその程度の気持ちしかないってことじゃないの」

「美沙は彼みたいな男と付き合ったことがないからわからないのよ。いつも美沙の美貌と身体に惹かれてくる男ばかりだもの」

　まあ、それしかないからね、とはさすがに言えなかった。

「言わせてもらうけど、今、付き合ってる私の彼も、私をものすごく大切にしてくれてるわ。それを実感してる。それも比呂子とは正反対のやり方でね」

「正反対って？」

「彼は私に、ご飯なんか作る必要はないって言ってるわ。もちろん、掃除や洗濯もさせたりしない。所帯臭くなって欲しくないんですって。いつ会ってもベッドに入りたくなる、そんな女でいて欲しいって言ってるわ」

「何だか信用できない。それって、自分の日常に美沙を入れたくないだけなんじゃないの」

「読みが浅いわね。付き合ってゆけば、いずれは日常の中に埋もれてゆく時が来るわけじゃない。必ず来るとわかっているところに、彼は私を少しでも入れないでおこうって努力してくれているのよ。私たちはいつもムード満点のホテルで、心ゆくまでセックスをするの。そんな彼に、私は自分が大切にされているって実感するわ」

比呂子は少し言葉に詰まった。けれど、ここで黙り込んではこれから先、一生美沙に恋について何も語れなくなるような気がした。

「同じもの」

比呂子は再びドライシェリーをオーダーした。いったい何杯目になるだろう。それを横目で眺めながら、美沙が呆れたように言った。

「よく、同じものばかり飲めるわね。比呂子はほんと、コレと決めたらそれしか目に入らないんだから」

今、美沙の前にあるのはキールだ。その前はマルガリータだった。

「いいじゃない」

顔を向けると、一瞬、身体がくらりと傾いた。ドライシェリーぐらい、と思っていたが、考えてみれば結構きつい酒である。

「私は、美沙みたいにころころ変えるの好きじゃないのよ。そういうのって、たいてい上っ面しかわからないで終わるのよ」

美沙は、比呂子側にある眉をきゅっと持ち上げた。

「私は色々味わってから、最終的にひとつに決めるの。でも、比呂子みたいにそれしか知らないっていうんじゃ、結局、選択の余地がないってことと同じじゃない」

「ひとつの中に、いろんなものを見つけてゆくタイプなの。あれもこれもって試してみても、結局、身につくものなんて何もないでしょう。そういうこと、美沙、もう少し考えた方がいいんじゃないの」

「あら、お説教。ずいぶん、ごりっぱなこと言うじゃない」

「こんなこと言ったら、気を悪くするかもしれないけど」

「今さら何を言ってるの。何でも言いなさいよ」

「彼に、セックスだけの女って思われているかもしれないって、考えたことはない？」

美沙は唇の両端に力を入れて、きっぱりと言った。

「ないわ」

「どうして」

「どうしてって、ないものはないの」

「ポジティブもいいけど、物事をいい方にばかり考えるのもどうかと思うわ」

「何よ、それ」

「つまり、美沙みたいに、美人でプライドが高くて、いつも自分がいちばんと思っているような女は、男にとって便利な女ということよ。美沙はいつも男と別れたと言ってるけど、客観的に見れば、やり逃げされたってふうにしか思えない」

今度は美沙が言葉に詰まる。比呂子は少しすっきりする。

「比呂子って、結局、箱入りなのよね。男と女のことなんて何にもわかっていないんだわ」

「何よ、それ」

「前々から思ってたけど、比呂子ってセックスを特別視しているところがあるの。もっとラフに考えればいいのよ。セックスは何も男のためだけにあるもんじゃないわ。私もしたいからするのよ。だから、男にとってセックスだけの女になる、なんて発想が私にはないの」

「じゃあ聞くけど、美沙は今付き合ってる彼にもし、ご飯を作ったり掃除や洗濯をするというような家庭的な女がそばにいても平気？」

「いいんじゃないの。彼はきっと、その女のことを家政婦みたいに思ってるだけよ。そんなことは誰でもやれるわ。でも、最高のセックスは、私としかできない」

「それって愛人の発想ね」

「じゃあ、比呂子はどう？　彼にセックスの相手がいたらどうする？　比呂子にご飯を作らせておいて、比呂子にはしないことを、その女にはしてるの。それでも、自分は大切にされているんだと思う？」

「思うわ。それに、その女性に申し訳ない気がするわ。つまり彼は、私を我慢してくれている代わりに、その女性でセックスの処理をしてるわけだもの。風俗女みたいなものよ。この年になったからこそわかるのよ。男と女にとって、セックスなんて、所詮、小さなものだって」

「私、どんな年になっても、男から手を出されない女になんかなりたくないわ」

「私、どんなに美人でも、手だけ出されるような女にだけはなりたくないわ」

その時、店のドアが開いて、恭子が飛び込んで来た。

「ごめんごめん、遅くなっちゃって」

彼女はわざわざふたりの間を割って、スツールに腰を下ろした。それから比呂子と美沙の顔を交互に見比べ、呑気な声を出した。

「あら、ずいぶん飲んでるみたいね。そんなに盛り上がって、何を話してたの？」

ふたりは黙る。恭子が美沙の肘をつっついた。

「ねえ、教えてよ」

「男の話よ」

美沙がしぶしぶ答えると、恭子は納得したように首を縦に振った。

「ああ、そう、そうよね。ふたりは昔から好きなタイプが似てたものね。話も合うはずよ。ねえ覚えてる？　ほら大学の時の仏文の助教授、ふたりとも付き合ってたんでしょう」

えっ、と小さく叫んで、比呂子と美沙は思わず顔を見合わせた。

「あら、知らなかったの。ごめん、余計なこと言っちゃったかしら。でもまあ、昔の話だからいいじゃない。それにしても、あの助教授、結局は教授のお嬢さんと結婚しちゃったのよね。男ってほんと狡《ずる》いんだから。こればっかりは女の想像をはるかに超えてるみたいね。お互い三十も過ぎたし、悪い男にだけはひっかからないよう注意しなくちゃね。さあ、私は何を飲もうかな」

恭子が無邪気にメニューを広げる。

比呂子と美沙は同時にグラスに手を伸ばした。それから、胸の中に芽生えた小さな疑惑を払拭するかのように、一気に口に運んだ。

悪 女 の ご と く

Like a villainess

自分が周りからどう言われているかということぐらい、私はとっくに知っていた。非常識な女。身勝手な女、傲慢で我儘で、自分にしか興味がない女。厚顔な女、淫らな女。

けれども、どう言われても、私は意に介さない。そんなことを口にするのは、つまらない道徳に縛られ、欲しいものを欲しいと口にする勇気がなくて、徒党を組まなければ言いたいことも言えない女たちと決まっているからだ。

彼女たちは何を根拠に、何をどう確信しているのか、いつも自分が被害者のような顔をしている。そうして人を批判する時だけひどく声高になる。どうやら彼女たちの意識の中には、女の在り方というルールがあって、それを時折こっそり破るのはまだ許せても、おおっぴらにやられるのは我慢ができないらしい。だから、彼女たちのことなど気にも留めず、思うがままに振る舞う私が、この上もなく目障りな存在なのだろう。

昨日も、七歳年上の貴恵《たかえ》という先輩女性デザイナーから、詰め寄られたばかりだった。

「汚い真似するのね」

青山の事務所から少し離れたオープンカフェでのことだ。ここは夜はレストラン・バーになり、昼も夜もよく利用していた。街路樹を通り抜ける乾いた風が心地いい。私は遅いランチをとっていた。もちろんひとりだ。誰かと一緒でなければ食事を楽しめない、というような子供じみた趣味はない。貴恵は立ったまま、腕組みをして見下ろしている。もちろん、私はそれを威圧的などとは感じない。

「何のことでしょうか」

私はゆっくりと顔を上げ、礼儀正しく尋ねた。

「ボスと寝たんでしょう。それで、あの仕事をものにしたんでしょう」

寝不足なのか、貴恵の目の下には薄くクマが浮いている。ファンデーションでもコンシーラーでも隠しきれなかったのが、どうにも痛々しい。貴恵は今年三十三歳になる。顔立ちはそう悪くないのだから、せめて眉間から力を抜けば、もっと綺麗に見えるのに、と思う。

「何か言ったらどうなの」

貴恵の声が強ばっている。

仕事というのは、今度銀座にオープンするファッションビルのパンフレット制作の件で、私と貴恵のどちらかに任されることになっていた。キャリアからいっても貴恵だろうと、事務所の誰もが予想していたらしいが、昨日、私に決まったと発表されたばかりだった。

「聞いてもいいですか？」

私はアイスティで喉を潤した。

「怒っているのはどっちですか？　ボスと寝たことですか？　それとも仕事を取ったことですか？」

貴恵ははっきりと怒りを表した。

「寝て、仕事を取ったことよ。プライベートであなたが誰と寝ようと興味はないわ。そんなことは好きにやればいいわ。でも、仕事が絡んだ時は許せない。仕事は仕事で戦ったらどうなの。あなたみたいな女がいるから、いつまでたっても、だから女は、って言われるのよ」

「座りませんか」

私は隣の椅子に目を向けた。貴恵は少し考え、結局、腰を下ろした。ウェイトレスにカプチーノをオーダーして、私に目を向ける。

「あなたの言い分は？」

私はナプキンで軽く唇を押さえた。

「別に何も」

「何もって、どういうことよ」

「つまり、あなたに許してもらおうなんて思ってないし、もっと言えば、あなたに『許さない』なんて言われる筋合いもないと思ってます」

貴恵の表情が強ばった。

「それが、あなたの言い分ってわけね」

「確かに貴恵さんの言う通り、私、ボスと寝ました。どうしてもあの仕事が欲しかったからです。でも誤解しないで欲しいのは、あなたは私に実力がないからそうやって仕事を取ったように思っているかもしれませんが、ボスが実力よりキャリアであなたに決めようとしていたから寝たんです、そんなことで不利になりたくなかったから。

そこを間違えないでくれますか」

　貴恵が何か言おうとするのを遮った。

「それと、もうひとつ。文句を言うのは、結果を見てからにしてください。私は仕事を成功させる自信があります。あなたよりも確実に」

　貴恵はゆっくりと息を吸い込み、かろうじて大人としての態度を取り戻した。

「そう、わかったわ。そんなに自信があるならやってみればいいわ。けれど、忠告しておくけど、これからは女を使って仕事を取るような汚い真似だけはやめた方がいいわ」

　私は笑みを浮かべた。

「どうして女を使うことが汚い真似になるんですか？」

　貴恵が啞然とした。

「どうしてって」

「本当に欲しいものがあれば、あらゆる手段を使ってそれを手に入れようとする、それのどこが汚い真似なのか、私にはわかりません。むしろ、それだけ本気なんだと評価されたいくらいです。それで陰口を叩かれたって、私は別に平気ですから」

　貴恵は軽蔑の眼差しを向け、それから深いため息をついた。

「自分の欲望のためなら、好きでもない男とも平気で寝られるってわけね」

「むしろ、好きじゃないから寝られるんです」

　カプチーノが運ばれて来た。貴恵はカップに触れたものの、熱さにうんざりしたように指を引っ込めた。

「きっとあなたみたいな女が何食わぬ顔で売春できるんだわ。もしかして学生時代、援助交際をやったクチ？」

　何てわかりやすい皮肉だろうと、笑いたくなった。

「もし、本当に欲しいものがあればやったかもしれません。でも、私の欲しいものは、たいていお金で買えるようなものじゃなかったから、売春も援助交際も必要ありませんでしたけど」

「口では何とでも言えるわよね」

　貴恵はそれを決めゼリフにして話を終わらせたかったらしく、腰を上げた。私は少し芝居がかっていると思いながらも、改めて気づいたように顔を向けた。

「確か、五年前ですよね」

「え？」

「あなたが、佐藤さんという女性デザイナーと、仕事を取り合ったのは。今の私たちと同じように」

貴恵は口を噤《つぐ》んだ。

「そうして私と同じことをして、チャンスを手に入れた」

貴恵が怒りで全身を満たしている。

「いい加減なこと言わないで」

「ボスから聞きました」

「あれは仕事とは関係ないわ、プライベートなことよ」

「今さらそんな言い訳通すつもりですか」

「…………」

「それは汚い真似じゃないんですか」

貴恵が声を震わせた。

「あなたって最低だわ」

「負けた女たちの方はたいていそう言います。でも、男たちはいつも最高の女だって言ってくれます」

　貴恵が背を向けて店を出てゆく。口をつけないままテーブルに残されたカプチーノから、柔らかなシナモンの匂いが立ち上っている。


　小さい時から、可愛いね、綺麗だね、とみんなに言われてきた。

　男にはモテたが、女たちには嫌われた。女たちは賢いから、私の前では人懐っこい笑顔を浮かべていたが、陰に回ると存分にコキおろしていた。可愛いのも、綺麗なのも、私の罪ではなかったが、女たちは罰に値すると思っていて、時折、筆箱がなくなったり、上履きに泥が入れられたりした。いい気味だとほくそ笑まれるのは悔しかったが、それ以上に、なくなった筆箱を一緒に探してくれたり、代わりの上履きを貸してくれた子が、それをやった本人だったりして驚いた。経験は学習だ。私はやがて「自分の美しさに気づかない純朴な女の子」を演じて、わざとダサイ格好をしたり、男に興味がないというようなふりをしてまで、女たちに受け入れられようとは思わなくなった。

　考えてみれば、女なんか少しも必要なかった。女といるより、男といる方がずっと用できた。

楽しかった。それは年を重ねるにつれて痛感した。男には余計な気遣いなどまったく必要なく、いつも自由に振る舞えた。みんな優しく、その分だけ私も優しくできた。彼らはわかりやすい心の構造と、正直な体質を持っていて、私はいつも大切に扱われた。いい思いもたくさんした。たくさんさせてもあげた。何より、女たちが皮膚の内側にぺったりと貼りつけている狡《ずる》さやしたたかさがない分、男の方が一万倍くらい信用できた。

私を傷つけたのは、いつも女だった。何をどう振る舞っても、私の存在自体が女たちの神経を逆撫でするらしい。

「ちょっと美人だと思って」

ちょっと、というところが気にかかったが、どんな時でも百パーセント負けを認めないというのも女の特質のひとつである。

「いつかしっぺ返しがくるに決まってるわ」

女たちがそれを期待していることは知っていた。そうでなければ、世の道理というものの帳尻が合わないと思っているのだろう。そして私自身もまた、本当にそんなものがくるのか、心のどこかで待っていた。

マンションに戻ったのは、もう真夜中の一時を過ぎていた。

二カ月前に知り合った剛《つよし》は、今、いちばん気に入っている男だ。話していて飽きないし、見栄えもいい。ベッドの相性も最高で、今夜も全身が溶けてしまうのでないかというくらいの愛撫にまみれて帰って来た。

タクシーを降り、オートロックにキーを差し込むと、背後から女の声があった。

「石井笙子《しょうこ》さんですよね」

肩ごしに振り向くと女が立っている。二、三歳下ぐらいか。ベージュのパンツに、濃いグレーのジャケットの組合せがなかなかセンスの良さを感じさせた。もちろん面識はない。

「あなた誰？」

尋ねると、緊張気味に彼女は答えた。

「伊原って言います。少し、お話がしたいんですけど」

「何の話か知らないけど、疲れてるの。別の日にして」

そっけなく答えて、背を向けた。その背に、我を失ったような声が飛んできた。

「あなたは、私と話す義務があるはずだわ」

私は再び振り向いた。今まで、何度それと同じ目を向けられてきたことだろう。

表通りまで出て、開いている店を探すのも億劫で、結局、彼女を部屋に入れた。

お茶の代わりに、冷蔵庫から缶ビールを二本取り出して、テーブルに置き、ソファの向かい側に座って足を組んだ。

「手っ取りばやくお願いするわ。それで？」

見当はついていたが、とりあえず尋ねた。

「剛のことです」

「そう」

プルリングを引く。

「私たち、結婚の約束をしていました。互いの両親にももう紹介済みで、あとは式の日取りを決めるだけだったんです」

「だから？」

「え？」

「だから、どうだって言うの？」

「剛を返してください」

私は穏やかにほほ笑んだ。

「私は剛の意志を尊重してるわ。剛があなたの元に戻りたいと言っているなら、それで構わないわ。剛は何と言ってるの」

「剛は……何も言ってません」

「だったら仕方ないわね。つまり、剛はあなたより私を選んだってことなんだから」

彼女が唇を噛む。

「あなたがいなければ、こんなことにはならなかった。わざわざ人の幸福を壊すようなことをしなくてもいいじゃないですか。他にも男はたくさんいるでしょう」

彼女は顔を上げ、私に目を向けた。私の大嫌いな被害者の目だ。

「言っておくけど、あなたの幸せを壊したのは私じゃないわ」

その言葉に、何か言いたげに唇を動かしたが、彼女は言葉を選べず口ごもった。私は腕を組み、ソファにもたれかかった。

「わからないわ、どうして私があなたに責められなければならないのか。私があなたと結婚の約束をしていたわけじゃないのよ。約束を破ったのは剛でしょう。剛を責めればいいじゃない。私は剛を誘拐したわけでも、監禁したわけでもないわ。剛は大人の男で、その大人の男が、あなたとの結婚をやめて、私と付き合いたいって言ったの。それは私のせいなの？　責められるのは私なの？　それって何か変だと思わない？」

彼女が膝で拳を握り締める。

「自分には、何ひとつ責任はないと？」

「もちろんそう思ってるわ。じゃあ同じことを聞くわ、あなたには何も責任はないの？」

「私は一生懸命尽くしたつもりです」

「剛のために？」

「もちろん」

「違うわ、自分のためにでしょう。剛に愛されたい自分のために。結婚したい自分のために」

「…………」

彼女が足元に視線を落とした。感情を抑えるのがやっとというような感じだった。

「どうして、剛があなたみたいな女なんかに」

「そうね、そう思うことは大切なことだわ。つまり、剛がその程度の男だってことなのよ。あなたと結婚の約束をしておきながら、他の女に心を移すような男だってこと。結婚前にわかってよかったじゃない。別れて正解よ」

「そんな男とあなたは付き合ってる。あなたこそ、別れたらどうですか」

「私は結婚するつもりなんてないもの。それに、彼とのセックスは今のところ最高だから」

それから私は乗り出すように、いくらか身体《からだ》を前に倒した。

「彼、私とのセックスは最高だって言っているわ。あなたはどうだった？　ベッドの中で身体が溶けてしまいそうなくらい舐《な》められたかしら。終わったばかりなのにまたしたくなる、君のことを考えただけで勃起する、そんなふうに言われたことあるかしら」

彼女は憎しみに満ちた目で私を見つめ、ソファから立ち上がった。

「帰ります」

「そう、それがいいわ」

「あなたって最低だわ」

思わず私は笑いだした。

「その最低の女にあなたは負けたの。そのこと、よく覚えておくことね」

彼女が玄関に向かう。パンプスを履き、ドアを開けて出てゆく。静けさが戻ってから、私はタバコに火をつけた。


「来週、結婚する今井さんのプレゼントのカンパ、お願いできますか」

後輩デザイナーの好美《よしみ》がやって来た。

「いいわよ、いくら？」

「三千円です」

財布の中から札を取り出して手渡すと、好美はちょっと驚いたように受け取った。

「どうしたの？」

「いえ、断られると思ったものですから」

「なぜ？」

「何となく……だって笙子さん、事務所の中でも女の人と混ざろうとしないでしょう」

「面倒臭いのが嫌いなだけよ。おめでたいことにケチをつける気はないわ」

背を向けて、デスクに向かった。

「プレゼントを何にするかは、任せてもらっていいですか」

「お好きなように。ご苦労さまなことね」

「友達ですから」

「そう、友達ね」

思わず小さく笑いが漏れた。

「何ですか？」

「ううん、何でも」

「じゃあ、失礼します」

好美は離れていった。

三カ月ほど前、その今井という女の子の交際が事務所に知れ渡った時、相手の男を中傷する手紙がボス宛てに舞い込んだことがあった。

男は取引先の人間でよく事務所にも出入りしていて、ボスはもちろん、事務所の者ならたいてい知っていた。手紙はワープロで書かれ、内容は彼の女関係をバラすありがちなものだった。

その手紙は私も見ている。見て、すぐに気がついた。文章の区切り方とか、句読点の付け方に特徴があった。

もちろん、そのことを問い詰めて、好美に認めさせようなんて思ってない。むしろ、好美には好美なりの葛藤があったのだろうと察するくらいの思いやりはあるつもりだ。それでも、バレなかったことをいいことに、友達という言葉を平気で使う神経には呆れ果ててしまう。

女なんて、とつくづく思う。女なんて、何を言っても、どんな顔をしていても、皮膚を一枚めくったら、身も蓋もない。


女が嫌いなのではなかった。女がわからなかった。もっと言えば怖かった。嫉妬も、ライバル心も、死んでしまえばいいと思うような憎しみでさえも、女は無邪気なほほ笑みでいともたやすく覆い隠す。そんな技は、自分にはとてもできそうになかった。そんなことのために自分を消耗するぐらいなら、嫌われてしまう方がずっと楽だった。

その点、男たちの目的はわかりやすい。その分だけ安心できる。私が男を好きなのは、必要だからじゃない。何も期待していないからだ。期待がなければ、失望もない。剛と待ち合わせたレストラン・バーに先に着き、カウンターに座ってブラック・ルシアンをオーダーした。ウォッカとコーヒーリキュールのこのカクテルが最近の自分によく似合っていると思う。

少し離れた席で、よく似た年格好の二人連れの女が、顔を寄せ合いながらパンフレットを覗き込んでいる。

どこか垢抜けず、美しくもない女たちだった。どうやら二人で旅に出るらしい。もちろん私は、男以外と旅行などしたことはない。したいとも思わない。旅先で、女同士が連れ立っていると、何だかみじめたらしく、仲のよさがいかにも嘘っぽく見えて腹立たしくなる。

それでも、彼女たちはやけに楽しそうに話に夢中になっている。カクテルが少しも減っていないのがその証拠のように思える。

けれども内心はどうなのだろう。私ははすかいに彼女たちを眺めながら考える。仲良く見えても、相手がちょっとでも自分よりいい思いをしたら、たとえば相手に上質の恋人ができたら、たとえば思いがけずいい仕事が舞い込んできたら、すぐに関係は姿を変える。常に先んじられまいと牽制しながらも、そうなった時のために踵を返すだけの距離を保っている。女はいつだって、自分以外の誰かの幸福を受け入れようとはしない。

やがて剛が入って来て、私はほほ笑みを向けた。背が高く、お洒落でハンサムな剛は、どこにいても女たちの目をひきつける。そんな剛が、私に対して常に欲情していることを考えただけで、満ち足りた気分になる。

私は満足気に胸を反らし、二人連れの彼女らに視線を向けた。羨望の目を向けられるのもまた楽しみのひとつだ。そのことによって満足感はもっと深まる。

けれども、彼女たちは少しも気づかないのだった。そうして、相変わらずパンフレットを覗き込み、自分たちのお喋りに夢中になっている。

いったい、女同士で旅行することのどこがそんなに楽しいのだろうか。所詮、一緒に行く男がいないための、代替行為ではないか。

剛が隣のスツールに腰を下ろした。

「会いたかった」

耳元で甘く囁く。

私もよ、と言葉だけは返しながら、私はこちらを見ようとせずに話し込む彼女たちから、いつまでも目が離せないのだった。

ただ狂おしく

A torrid love

もしあの時、行雄《ゆきお》と出会わなかったなら。

そんなことを考えても、今さらどうしようもないことくらい、公美《くみ》がいちばんよくわかっていた。行雄と出会わなかった自分など、もう想像もつかない。

理解はあるが常に自分たちの庇護の下に置こうとする両親と、快活で遊び好きだけれども最後のところで決してハメをはずさない思慮ある友人たちと、いつまでも女の子扱いはするものの居心地のいい会社と、会えない日は夜の十時に必ず連絡をくれる堅実で心優しい婚約者とに囲まれて、はたからは何の不満もないように見えただろう。実際、公美自身、何の不満もなかった。手の中にある幸福を、当たり前のように、何の疑いもなく受け入れていた。

出会ったのは、青山のレストラン・バーで催されたパーティだ。

行雄は顔を合わすなり、言った。

「その服、全然似合わないね」

呆気にとられていると、行雄は無遠慮に公美を眺めながら、言葉を続けた。

「ついでに言うなら、化粧も髪型もバッグも時計も指輪もピアスもネックレスも香水も、まったく似合ってない」

「余計なお世話だわ」

ようやく言い返すと、行雄は口元を少しだけ緩めた。

「なんだ、生きてるんだ」

「え？」

「死んでるのかと思った」

行雄は強引だった。

友人から聞き出したと言って、翌日、電話をかけてくると、まだ公美が承知してもいないのに、待ち合わせの場所と時間を告げてさっさと切った。

「行かないわ」

受話器を置いた時は、そう呟いたはずだった。それでも、公美はその日その場所へ向かっていた。

「どうしても聞きたかったの。あの時、なぜ、私を死んでるなんて言ったの？」

その問いに、行雄は事もなげに答えた。

「君って、今まで自分の意志で決めたことなんて何ひとつないだろう」

公美は行雄を凝視した。

「そんなことないわ」

「君みたいな女を見てると、腹が立ってくるんだ。お仕着せの人生に、何の疑問も持たずどっぷり浸ってる」

さすがにムッとして言い返した。

「だったら誘ったりしなければいいでしょう。腹立たしい女なんか、放っておけばいいじゃない」

すると、行雄は意外にも素直な態度で、納得した顔をした。

「まあ、確かにそうだな」

行雄があまりにあっさりと認めたので、公美は拍子抜けした。

「変な人」

「そのことは、誰よりも俺自身が知ってる」

思わず笑っていた。笑った時点で、すでに行雄を受け入れている、ということに、その時はまだ気づいてはいなかった。

飲んで、酔った。語って、笑った。歩いて、手をつないだ。見つめ合って、キスをした。

ホテルに入る時、躊躇《ちゅうちょ》がなかったわけじゃない。寝ることに必要以上の意味付けをするつもりはないが、まだ知り合ったばかりなのに、私には婚約者がいるのに、と自分をとどめる思いは確かにあった。けれども、それよりも今は、行雄とこのまま別れて家に帰ろうとする方がずっと不自然に思えた。

そして、寝て、驚いた。

今までベッドの中でしてきたことは何だったのだろう。


行雄と別れた翌日にはもう会っていた。会って、最初にしたことは抱き合うことだった。まずそれをしなければ、もどかしくて、ゆっくり話もできなかった。

それから毎日会った。毎日会って、毎日抱き合った。そうしてますます確信した。

行雄とのセックスは最高だった。こんなに気持ちよくなれたことは今まで一度もなかった。

してもしても、またしたくなる。そんなことがあるなんて信じられなかった。けれど、本当にそうなのだ。公美は恥ずかしいくらいいつも濡れていて、行雄は隠すことなく欲情の目を向けた。毎日、その繰り返しだった。こんなことを続けていたら、ヴァギナとペニスがすり減ってなくなってしまうのではないかと思うくらいだった。

すべての予定は行雄との逢瀬に費やされるようになっていた。他のことなんてどうでもよかった。行雄と抱き合ってさえいれば、食べなくても、眠らなくても、生きてゆけそうな気がした。

公美はいつも行雄のことを考えている。どこにいても、誰といても、行雄とのセックスのことを考えている。それだけで、身体《からだ》中の骨が柔らかく砕けてゆくような気がする。

行雄がセックス以外で教えてくれたのは、破る、ことだ。

「門限？　そんなもの関係ないだろ」

「仕事？　さぼっちまえよ」

「友達との約束？　いいんだよ、放っておけば」

行雄はまともな職についておらず、水商売を転々とするといった生活をしていた。

「気楽で自由に生きたいんだ」

そんな行雄の生活に驚き、怒り、時には抗議もしたが、やがて気にならなくなった。今の行雄が、今の彼の生き方で存在しているのなら、それはすべて自然なことだ。

婚約者にはすぐに知れてしまった。

行雄と始まってから、どうしても彼とセックスできなくなっていた。もう三年も付き合っていて、自分の身体の一部のように思っていたのに、セックスをしようとしても、合わない螺子《ねじ》を押し込まれるような苦痛と不快に変わっていた。

「どういうことだ」

温厚な婚約者が、見たこともない怒りに満ちた目で公美に問いただした。

「別れたいの」

「理由は？」

公美はすでに相手を傷つけないでおこうという余裕さえ失っていて、あっさりと行雄の存在を打ち明けた。

「僕たち、婚約してることはわかってるよね」

「ええ」

「今さら、どうするつもりなんだ」

「どうするって？」

「うちの両親や、仲人を頼んだ僕の上司には、どう説明するつもりだって聞いてるんだ」

どうしていいのか、さっぱりわからなかった。

「どうすればいいの？」

婚約者の顔から、表情というものが消えていった。見たこともない顔だ。というより、人とはちょっと違う、知らない生き物を見ているような気がした。

「僕の思いも、僕の立場も、どうでもいいんだな」

「そうじゃないけど」

そう言ったが、本当はその通りだった。

「行ってくれ」

婚約者の最後の言葉だ。

自分でも驚いたが、良心の呵責は少しもなかった。ただ安堵していた。公美は席を立ち「ごめんなさい」と、聞く側にはこの上もない不快な言葉を残して背を向けた。視界から婚約者が消えた瞬間、自分のことを最低だと思いながら、もう行雄のことを考えていた。

父には「出て行け」と言われた。

婚約を勝手に解消したことは、父には許せない裏切りに映ったらしい。新しい男がまた、父の目にはどうしようもないクズに見えるらしく、公美が二日外泊を続けて帰ると、居間に呼びつけられた。

「自分が何をしているか、わかっているのか」

公美は床を見つめて考えていた。好きな男と昼も夜も一緒にいたいと思うことはいけないことだろうか。

「その男と別れて、すぐに婚約解消を取り消しに行くんだ」

母もおろおろして「そうよ、そうしなさい」と何度も言ったが、公美は最後まで首を縦に振らなかった。

両親が大好きだった。小さい時、家に父も母もいないと不安で仕方なかった。叱られた時、本気で自分は橋の下から拾われてきた子ではないかと悩んだこともある。ささいな親子喧嘩はあっても、所詮はそこまでで、いつも食卓が笑いに満ちるような家族だった。でも、今、わかる。行雄がくれる幸福はここにはない。両親がどれだけ愛してくれても、両親がクズと呼ぶ行雄のあの私をとろけさす愛撫にはかなわない。

「おねえちゃん、おかしいよ」

荷物をボストンバッグに詰め込んでいると、妹がドアの前に立って言った。

「そうね、おかしいのかもしれない」

「わかってるんなら、前のおねえちゃんに戻ってよ」

公美は振り向き、ほほ笑んだ。

「あなたも、誰かをおかしくなるくらい好きになればわかるわ」

妹は泣きそうな顔をしていた。

別れた方がいいわ。

知っている誰もが、そう言った。

友情はありがたかったが、行雄が与えてくれるものを、その友人たちは誰も持ってはいない。

他に男はいくらでもいるじゃない。

そう、男ならいくらでもいる。でも、行雄はひとりしかいない。

騙されてるのがわからないの？　ただ口のうまい、女の扱いを心得ているだけのろくでもない男よ。今なら間に合うわ。目を覚まして。

公美は静かに笑う。

行雄の、あの少し癖のある孤独な目も、弾力にとんだ背中の筋肉も、公美をいとも簡単に溶かしてしまうしなやかな指も、頭の奥をじんじんさせる汗の匂いも、体温の高さも、愛《いと》しいペニスも、死んでもいいと思えるあの行き着く一瞬も、何ひとつ知らないくせに。

行雄のアパートに転がり込んで、朝も昼も夜もセックスした。

驚いたことに、すればするほど、もっともっと欲しくなるのだった。まるで、砂漠で水を飲んだばかりに、自分がどれほど渇していたかを改めて思い知らされたような感じだった。

家を出てもしばらくは会社に通ったが、着替えもないし、朝早くに行くのも面倒になって辞めてしまった。夜の仕事をしている行雄と、すれ違いの生活になるのもイヤだった。少しでも一緒にいて、彼の身体のどこかに触れていたかった。

しばらくして、行雄が六本木のクラブのアルバイトの話を持って来た。ホステスをやるのは初めてだったが、どうせ夜はひとりで行雄を待つしかない生活だ。毎夜、数時間働けば、今までの給料ほどの収入を得られることがわかり、出ることにした。

行雄との果てしないセックスに耽っても、公美はいつももどかしかった。どうして、ふたりはひとつに溶け合ってしまえないのだろう。この身体をふたつに離さなければならないのだろう。そうして、また繋がり合う。公美は行雄の、行雄は公美の、すべてになる。

一年が過ぎた。

その間に店を三度替わり、収入は増えたが、着ている服の生地がどんどん少なくなり、客の質も落ちていた。それでも、そのお金で行雄と一緒に焼肉を食べに行ったり、時には温泉に出掛けたりすることができるので、辞めたいなどと思ったことは一度もなかった。行雄はあまり働かなくなったが、その分、一緒にいる時間が増えたので、むしろ嬉しいくらいだった。いっそのこと、このままどこにも出掛けないで、アパートにずっといてくれたらと思った。

堕ちている。

などという感覚はまったくなかった。

どうしても欲しいものを手に入れるためには、何かを失わなければならないことぐらい知っていた。だいたい、自分が今まで手にしていたものに、どんな価値があったというのだろう。価値があったのではなくて、それしか知らなかっただけだ。

とにかく一緒にいて、とにかくセックスをして、毎日を過ごした。それだけで公美は幸せだった。

なのに行雄は二度、浮気をした。一度目は一回りも年上の金持ちの女で、二度目は十八歳の女の子だった。それを知った時、嫉妬と怒りのあまり、部屋中のものを投げつけた。信じられなかった。行雄が自分以外の女を愛撫するところを想像すると、気が狂いそうだった。もし、行雄が強盗や殺人を犯したのなら、許すことができる。けれど、女は許せない。悪いのは行雄なのに、行雄は公美に手を上げた。それでも怯《ひる》まず、公美は行雄に向かって行った。その時は本気で殺してやりたいと思った。罵り合い、摑み合い、疲れ果てるまで争い続けた。そうして起き上がるのも億劫になりながら、最後にセックスをした。

行雄、行雄。

公美は名前を呼びながら、のぼりつめてゆく。

行雄がいなくては生きてはゆけない。たったひとつしかない心臓より、私を生かしている。

店に、かつての婚約者が現れてびっくりした。

「元気そうね」

と、公美が言うのも変な気がしたが、彼が黙っているので、そう言うしかなかった。実際は、彼は少しも元気そうには見えなかった。

「何でこんなところに」

彼は、ビールを注ぐ公美の濃いマニキュアの塗られた爪を眺めながら、ようやく口を開いた。

「働いてるの」

「そんなことはわかってる。何で、君がこんなところで働いてるって聞いてるんだ」

「そう悪くないわ。お店の人はみんな親切だし、お給料も他に較べたら割高だし」

「やめてくれ」

彼は、絶望的な顔をした。

「みんな心配している。ご両親もすっかりやつれてしまった。友人たちも気にしている。もう、いいじゃないか。帰ろう。意地を張ることなんかないんだ。人生にはいろんなことがある。間違いを誰も責めたりしない」

公美はかつての婚約者の顔を眺めた。

いい人なのだと思う。信号が赤の時は決して渡ったりせず、ゴミの分別はごまかさないで、電車の中ではシルバーシートでなくても老人に席を譲るのだろう。この男と、少しの間でも婚約していた自分を嬉しく思った。

「あなたは、私にどうしても認めさせたいのね」

「え？」

「きっと、あなただけじゃないんでしょうね。誰もがみんな、私が不幸だってことを認めるのを待っているの。あの頃に戻りたいって、泣いて後悔するのが当然だって」

彼は黙った。

「別にいいの、そんなふうに思ってくれることにむしろ感謝したいくらい。でも、悪いけれど、私は今の自分に満足しているの。本当に、強がりでも何でもなくて、少しも心配してもらう必要はないの」

「こんな生活のどこに満足するっていうんだ。あの男はいったい何なんだ。君を働かせて、自分はのんべんだらりと生活している。典型的なヒモじゃないか」

公美はかつての婚約者の顔を眺めた。

「どうして、そんな目で僕を見る」

彼はいくらか怯えたように公美を見返した。

「帰った方がいいわ」

「君を説得しに来たんだ」

「この店は、最初の一時間はサービスタイムで一万円ぽっきりだけど、それを過ぎるとすごい料金になるの。払えなかったら、奥から、強面《こわもて》の男が現れることになってるの」

彼の顔に緊張が浮かぶ。けれど、すぐに恥じ入るように首を振った。

「君をこのままにして帰るわけにはいかないんだ」

「困ったわ」

「何が困るんだ」

「どれだけ説明しても、あなたにはきっとわからないと思うわ」

「何が」

「たったひとりの男に、死ぬほど淫らでいられることが、女にとってどんなに幸福か」

彼は呆気にとられたように公美を眺め、それから目を伏せた。

「そんなことが、いつまで続くと思ってるんだ」

「今の私には、あの人との一瞬が、永遠なの」

やがて、彼は内ポケットから財布を取り出した。

「行くよ」

「ええ」

「僕にはわからない。人生を棒に振るほど女に溺れたこともない。そうなりたいとも思わない」

「あなたは正しいわ」

「皮肉かい？」

「まさか。本気でそう思ってるわ。ただ」

「ただ？」

公美は言ってはいけないと思いながら、言っていた。

「少し、かわいそう」

かつての婚約者は、別れを告げた時より、もっと傷ついた顔をした。

誰もが言うように、いつか壊れてしまう日が来るのかもしれない。たとえ、それが見えていても、自分はそこに行くだろう。激しく、無謀で、奔放な生き方を、本当はずっと心のどこかに忍ばせていた。もし行雄と出会わなければ、真っ白なウェディングドレスや、小綺麗なマンションや、可愛い子供たちに紛らせて、人生の中にうまく置き去りにすることができたかもしれない。死ぬ間際に、ほんの一瞬頭をかすめる、もしかしたら存在していたかもしれないもうひとつの人生を、たぶん自分は今、生きているのだ。後悔したくないのではなかった。後悔することなど少しも怖くなかった。もし、あのパーティの夜に戻れても、自分はこの場所に続く同じ道を選択するだろう。

かつての婚約者の後ろ姿が、夜に紛れてゆくのを公美はぼんやり見送った。

「公美」

振り向くと、行雄だった。

「嬉しい、迎えに来てくれたの」

公美は子犬のように行雄に駆け寄った。

「何かうまいもんでも食いに行こうと思ってさ」

「ほんと」

はしゃいだ声を上げながら、行雄を見上げる。公美を液体のようにしてしまう、彼の目を見つめる。

「でも、その前に」

「うん」

「して」

私の幸福は、私の身体の中にある。そうして、その幸福が私のあそこから流れ出るのを止められるのは行雄だけだ。

「すぐ、して」

公美は行雄の脇腹に手を回し、ぴたりと身体を密着させた。

あとがき

とにかく恋愛小説を書きたくて始めた連載です。

十二人の彼女たちの恋の行方を見届けていただければ嬉しいです。

恋愛小説を書いていて、いつも思うのは、恋愛は少しもロマンティックなものでも、甘やかなものでもないということです。

むしろ、自分のいちばん見せたくないところ、認めたくないところ、が出てしまうような気がします。

恋を前にして、衿を正しているなんて、何てつまらないのでしょう。

恋に出会い、恋に狂い、恋に傷つけられ、もう二度と恋なんかしないと言いながら、気がつくとまた誰かに恋をしている。そんな彼女たちは私の一部であり、すべてです。

読んで下さったことに感謝をこめて。

最後になりましたが、お忙しい中、素敵な解説を書いてくださった藤田香織さんに心から感謝します。

唯川　恵

解説

藤田香織

二〇〇二年一月十六日。パソコンの画面右下の数字が20：57になったところで、私はいそいそとテレビのリモコンを取り上げ、珍しく①のボタンを押した。恐らく直木賞が決定して、一番最初に報道するとしたら、NHKの九時のニュースだろうと見当をつけていたからだ。

「さぁてどうなったかなぁ」と、ちょっとワクワクしながらソファに座った。といっても、私はそのとき候補になっていた作家の誰かの熱烈なファンだったわけでもなければ、個人的に親しかったわけでもない。親しいどころか誰一人とも面識さえなかった。書評やブックレビューを書いている、という仕事上の興味もあるにはあったけれど、そんな気持ちはほんのオマケ、あるいは言い訳みたいなもので、心の中の九八％はヤジウマ的好奇心だったと思う。

取るか落ちるか。結果は二つに一つ。にもかかわらず確率は五〇％ではない。受賞できなかったからといって、マイナスになることはないけれど、受賞した場合のプラスは計り知れないのだ。家族や恋人、担当編集者から版元の出版社の関係者の人々、そして誰より本人たちの心は期待と不安で揺れまくっているに違いない。候補に選ばれた者だけが味わえる、誇らしくも残酷なまでの緊張感――を想像しつつ、私はポリポリと柿の種を食べながらニュースを待った。そしてそのとき、候補者の中で一番「どうなったか」が気になり、密かに心の中で受賞を祈っていたのが、他でもない唯川恵その人だった。

思いおこせば、私が初めて唯川作品を読んだのは今から約十七年という、ちょっと気が遠くなりかけるほど昔になる。

高校三年にもなって、まだ暢気にも部活に顔を出していた私に、後輩が何かのついでに一冊の文庫本を貸してくれたのだ。表紙にバスケットボールとブレザー姿の女の子二人のイラストが描かれたコバルト本（と呼んでいた）。本のタイトルは『青春クロスピア』とあった。主人公は当時の私と同じ、バスケ部のマネージャーの女の子で、カッコいい先輩とちょっとクールな男の子が出てくる、ほろ苦くて、ちょっと切なくて、だけど爽やかなビバ青春！　という物語だった。借りたその夜、わずか一時間ほどで読んでしまった物語の「あとがき」は、初めまして、これが文庫デビュー作となります、という意味の作者＝唯川恵の挨拶で始まっていたのを覚えている。

高校を卒業すると少女小説である「コバルト」からも卒業してしまったが、出版社とは名ばかりの社員五名ほどの会社で昼も夜もなく働いていたころ、『ＯＬ10年やりました』というエッセイを書店の棚で見つけた。唯川恵、という著者の名前に、正直すぐには『青春クロスピア』を思い出せなかった。けれど、そのエッセイは、コバルト小説の読みやすさ同様、とても共感できる、笑えて励まされる優しい内容で、読み終えた私はすぐにその少し前に出ていた『彼女は恋を我慢できない』を買い求めた。そしてその後からは、書店に行くと、無意識に〝唯川恵〟の名前を探し、ちょうど少女小説を卒業しはじめた彼女の小説やエッセイを一年に二、三冊読むようになっていった。

けれど、いつからだろう、そう多分二十五歳を過ぎた頃から、私は唯川恵を「もの足りない」と感じるようになった。大人になるにつれ、自分の人生がいわゆる「勝ち組」でもなければ「順風満帆」にもほど遠いことに気付いた私は、別れると決めたわりにはグズグズ悩んだり、飽きられてるとわかっているのにウジウジと執着したり、好きだの嫌いだの、愛だの恋だのということにうつつを抜かしている（ように見えたのだ）、そのくせ決定的に傷つくことを、傷つけることを心のどこかで畏《おそ》れている主人公たちが、絵空事のように見えたのだ。以前、この頃のことを「私は唯川恵から目を離してしまった」と書評で書いたことがあるのだけれど、一読者の勝手な言い分に置き換えれば、酷く偉そうな言い方になるけれど「私は作家・唯川恵を見限った」のだと思う。

ところがそれからさらに数年経って、思いがけずまた唯川恵の小説と出会った。結婚してたった一年で、身の回りの荷物をまとめて家を飛び出した私は、女友達と部屋を借りたのだが、その心優しき同居人が『めまい』を持っていたのだ。ほとんど本を持って出ることもできず、新刊本を買う余裕もなかった私はこの本を借りて大事に読んだ。

驚いた。陳腐な表現だけれど、本当に驚いた。どんなに酷い別れを書いてもどこか育ちのいいおっとりした空気感のあった以前の唯川作品とは全く違っていた。一言で表すならこの作品には毒があった。読者の心をからめとり、痺れさせ、恍惚に似た苦痛をじわじわと与える毒。こんな毒をはらんでる作家だったなんて。見抜けなかった自分に、見限ったなどと偉そうに思い上がっていた自分に腹が立ち、読み終えたときのショックはあまりにも大きかった。

本書『愛なんか』はその『めまい』から数えて三冊目の小説である。十二話からなる短編は、どれも時間にして十分もあれば読み終えてしまうものばかりだ。

まず、タイトルを音読してみて欲しい。

「愛なんか」

このタイトルが「愛なんて」ではないところが、たまらなくいい。「愛なんて」と言葉に出すと、少しはすに構えて愛を語る、いい女を気取ったふうに聞こえるか、愛に破れて自暴自棄になっている投げやりなイメージが浮かぶ。一方「愛なんか」は、どうだろう。恋愛の楽しさも心地良さも、そして辛さも知った女が「愛なんか」と自分に言い聞かせながら立ち上がろうとしている姿が見えてこないだろうか。甘えて、すがって、逃げ込んでしまいそうになる「愛」という場所から立ち上がり、新しい人生の一歩を踏み出そうとしている女たち。もちろんそれはやせ我慢的な部分もあって、その微妙な気持ちが伝わってくるようではないか。

このタイトルの語尾に込められた少し強がりな、でも前向きな印象は、本書の登場人物たちにも共通している。以前の唯川作品であれば、文章の終わりは物語の終わりだった。結末がどうあれ、本を閉じれば後をひくこともなく、何日も心に残るということはなかったように思う。だが、本書はそれでは終わらないのだ。それぞれの主人公、それぞれの登場人物たちの〝それから〟を、読者は想像せずにはいられない。二股をかけられていた恋人を〝いい男〟に仕込んだ槙子は、心から作戦成功を喜んでいるのだろうか。大阪に戻った英明の勘違いぶりが噂になって耳に入ってきたとき、彼女は微笑むのか、人知れず涙を流しはしないのか。共に逃げようと倉本の手から切符を受け取った友希子は、そのまま新幹線に乗り込んだのだろうか。二人で戻る、という道は残されていないのか。計算し尽くして手にいれた〝淳〟というブランド品と、一生ともに生きることは可能なのか。

私は個人的に「悪女のごとく」の笙子がとても気になり、彼女の張り詰めた糸のような生き方を、何日も考え込んでしまった。そこでまた、作者である唯川恵への思いも募っていく。以前の彼女なら、笙子の家に乗り込んできた、剛の恋人を主人公にしたのではないか。どちらがいい、悪いという話ではない。デビューから十年以上も経ってなお〝変わる〟ということを畏れない、唯川恵の強さに舌をまくのだ。

ＮＨＫのアナウンサーが「第一二六回直木賞」に「唯川恵」の「肩ごしの恋人」が決まったと告げたとき、私は無意識のうちに「よしっ！」と口にしていた。もしかすると、小さくガッツポーズすらしたかもしれない。先にも書いたけれど、直接面識もないくせに、考えてみると妙な話である。

なぜ他人ごとにもかかわらず、彼女の直木賞受賞を密かに祈っていたのか。それは候補が発表になってから二週間のうちに、驚くほど多くの人が「唯川さんに直木賞取って欲しいなぁ」と祈るのを見聞きしたからに他ならない。担当編集者である人たちはもちろん、直接の担当ではない人からも、全く関係ない情報誌の編集部でも、ライター仲間からもその言葉を聞き、ついには普段本を読んでるところなど見たこともない友人までもが「どうせだったら唯川恵がいいよねー。だって私、昔読んだことあるもん！」というメールを送ってきたのだ。編集者をはじめ、一度取材で会ったことがあるという程度の人にまで、そんなに好かれる作家は珍しいし、活字中毒者でもない限り、直木賞の行方など普段なら話題にもならない。十七年もの間、休むことなく書き続け、歩いてきた唯川恵の姿を見てきた多くの人たちが彼女を心から応援しているという事実に、私はちょっと胸が熱くなっていたのだ。

十代のコバルトから始まって、二十代、そして三十代と、唯川恵の小説の主人公たちは、読者と一緒にここまで歩いてきた。この十七年間が、決して平坦な道のりだったわけではないことは、誰にでも想像できるに違いない。それでも唯川恵は前へと進み続けた。

私のように浮気な読者もいれば、もちろんデビューから変わらず彼女の作品を愛し続けている人も沢山いるだろう。

そしてこの直木賞受賞で、初めて彼女の名前を知ったという新しい読者がやって来る。

コバルトを読んでいた世代の読者が大人になって帰ってくる。

それを迎える〝作家・唯川恵〟は、これまでも、これからも、記憶の中の唯川恵より、確実に大きくなっているはずだ。私が『めまい』で感じたような驚きを、今度はあなたがこの作品で受ける番かもしれない。

――書評家

この作品は一九九九年十二月小社より刊行されたものです。

愛《あい》なんか

唯川恵《ゆいかわけい》

平成14年4月25日　初版発行
平成24年11月25日　22版発行

発行人――石原正康
編集人――菊地朱雅子
発行所――株式会社幻冬舎
〒151-0051東京都渋谷区千駄ヶ谷4-9-7
電話　03(5411)6222(営業)
　　　03(5411)6211(編集)
　　振替00120-8-767643
印刷・製本―中央精版印刷株式会社
装丁者――高橋雅之

幻冬舎文庫

ISBN4-344-40236-7　C0193　ゆ-1-8